図解 教養事典

心理学

INSTANT PSYCHOLOGY
インスタント・サイコロジー

ニッキー・ヘイズ&サラ・トムリー＝著　横田正夫＝監訳　田中真由美＝訳

NEWTON PRESS

図解 教養事典
心理学
INSTANT PSYCHOLOGY
インスタント・サイコロジー

第1章
基礎

第2章
神経心理学

第 3 章

学 習

第 4 章

認知心理学

第 5 章

精神分析

第 6 章

社会心理学

第 7 章

発達心理学

第 8 章
個人差

第 9 章
臨床心理学

第 10 章
応用心理学

はじめに

**心理学が対象としているのは人間です。それゆえに心理学は，
想像の及ぶ限りにおいて最も広範で複雑な対象を扱っています
（なにしろ，人間に関連することで単純なものはありません）。
私たちは人間に囲まれて成長する体験を通して人間についてわかっている気になり，
人間の行動の理由を安易に結論づけてしまいがちです。**

心理学を学べば上述のように即断した結論は，ほとんどの場合，間違っているということがわかります。それはせいぜい全体像の一部が見えているだけに過ぎません。人間を理解するというのは人間の精神を読み取ることではありません。人間が特定の行為をする理由を解明するために心理学のさまざまな分野からの知見を集めてくることが，人間の理解につながります。結局は，そうしたほうが結論に飛びつくよりはるかに確実で有用なのです。

すべての科学分野は歴史的産物であり，現代心理学も例外ではありません。初期の心理学では，思考・情動・記憶など，人間の精神に関することを研究していました。しかし，第一次世界大戦後に起こったモダニズム（芸術運動）によって，唯物論や科学的進歩が重視されるようになると，科学的な心理学として行動主義が台頭しました。行動主義の考えでは，基礎的な学習があらゆることの鍵になるとし，精神の内面を研究するのは非科学的で客観性を欠いているとして退けました。精神分析やゲシュタルト心理学，人間の発達における遺伝説といった代替アプローチは依然存続していたものの，行動主義が心理学の主流になりました。

しかし，第二次世界大戦を経て，コンピューターの出現によって情報処理への関心が高まり，心的過程（あるいは心的プロセス）を理解することの重要性が認められるようになりました。その結果，心理学の認知革命が起きました。この革命により，知覚，記憶，言語，さらに思考さえも含む「精神に関連する」テーマが復活しました。ただし，研究は客観的に行われました。ほかにも，先の大戦に誘発されたパラダイム・シフトがあります。アメリカの社会心理学者たちが「服従」と「同調」について研究し始め，ヨーロッパの社会心理学者たちは社会や集団の圧力が個人をどのように操作するのかを研究するようになりました。

心理学のほかの分野においても徐々にではありますが，社会的要因が認識されるようになり，20世紀末までに社会心理学が認知心理学とともに現代心理学において中心的関心を集めるようになりました。質的研究が徐々に受け入れられるようになったことによって，人間のほかの経験領域を研究する道も切り開かれました。かの大作家テリー・プラチェット*が指摘したように，人間は自分を取り囲む物理的環境よりずっと大きな世界に生きています。日常生活で起きることの意味を理解しようとして私たちが用いる理由や説明，社会的表象が一人ひとりをどのように独自の存在にするのかということが，心理学を学ぶことで理解できるようになります。

本書にはさまざまな心理学関連の事がらが160ほど，それぞれすっきりと見やすくまとめてあります。取り上げているのは，神経心理学，認知心理学，学習，精神分析，社会心理学，生涯発達，臨床心理学，応用心理学です。手軽な入門書，もしくは「学び直し」用のコンパクトな参考書を求めている方のお役に立つことと思います。心理学という学問が人間の経験全般を扱っていることが本書を読めばきっとおわかりいただけるでしょう。その範囲は「社会的交互作用」から「深層無意識」まで，また，「脳内情報過程（あるいはプロセス）」から「消費者の意思決定」まで，さらには「基礎的身体技能の学習」から「マインドフルネス」に至るまで多岐にわたります。

心理学には普遍的な定式はなく，単純な解答などというものもありません。人間は複雑な存在であり，私たちの経験は相対的なものだからです。とはいえ，現代心理学にはさまざまな分野があるため，私たち人間について豊富な知見を得ることができるのです。

＊テリー・プラチェット：イギリスのベストセラー作家。『ディスクワールド』シリーズ，『遠い星からきたノーム』シリーズで知られる。

起源は哲学

近代科学としての心理学は心の本質を問う哲学的探究を起源としています。

古代ギリシャ

紀元前６世紀に**ギリシャの**最初の**哲学者たち**が**周囲の世界**を説明することを試みました。当時の哲学者たちは**物質界**についての理論を発展させましたが，**観念・思考・感覚・情動**など，**実体のないもの**の存在も認めていました。**考え，感じる**ことのできる**プシュケ**という**非物質的な機能**が人間にあると信じられていたのです。

プシュケ

人間の**プシュケ**には**感情（情動）・動能（意図）・知能（認知）**の三つの領域があると**ギリシャの哲学者**は考えていました。これは**二頭立ての馬車**にたとえられます。片方の馬が情動（**感情**）であり，もう片方の馬が意図（**動能**）となって，**二頭が**これらの**行為**を起こします。**御者**（ぎょしゃ）は**認知（知能）の領域**で表し，二頭の馬を導きます。

四大要素

物質的宇宙は，**空気・火・地・水**の四つの**元素**で構成されていると初期の哲学では考えられていました。各元素は特定の物質的特性に関連づけられ，四つの異なる「**体液**」あるいは**気質**に対応しています。四つの液体と対応する気質は多血質（楽天的で積極的）・黄胆汁質（短気）・黒胆汁質（悲観的または憂鬱）・粘液質（温和または鈍感）と呼ばれます。これらの体液は**人間の体のなかにある液体**であり，**思考**や**気分**，**行動**に影響すると考えられていました。

知識と精神

心理学の**起源**は特に**哲学の二つの部門**にさかのぼることができます。

- **認識論**：**知識を獲得して**物事を知るようになる**方法**についての哲学的研究。たとえば，知識はすべて学習したものなのか，それとも**生来的に備わっている観念**なのか。学習のうちのどのくらいが**推論**の結果であり，どのくらいが**経験**から来ているのか。
- **心の哲学**：**心の機能や状態，心的事象の研究**。
  例）記憶・意識・**アイデンティティ**（自我同一性）・**知覚**

知識の問題

「知識とは何か」という問いは，古代ギリシャ哲学から20世紀の心理学まで続いています。

年表

紀元前6世紀　ギリシャのクセノパネスは，知識とみなされるものを問題にした最初の哲学者の一人。人間がどのように知識を獲得し，それが正しいと確信をもつことができるのかを探究した。

紀元前5世紀　「無知の知」を提唱したことで知られているソクラテス（紀元前470頃～紀元前399）は，この無知の立場からあらゆる知識を疑った。プラトン（紀元前423頃～紀元前347）は，物質界についての知識は幻想だと主張。人間には物事の理想形についての生得的知識が備わっており，これが知識の基礎となっていると唱えた。それとは対照的にアリストテレス（紀元前384～紀元前322）は，すべての知識は知覚情報を解釈することによって獲得されると説いた。

17世紀　合理的思考の発展：当時の三大哲学者ルネ・デカルト（1596～1650），ベネディクトゥス・デ・スピノザ（1632～1677），ゴットフリート・ライプニッツ（1646～1716）がそれぞれ主張したのは，知識には生得的なものもあるが（生得説），主に推論によって獲得されるという考えだった。ジョン・ロック（1632～1704）は生得的知識を否定し，生まれたときは「タブラ・ラサ（白紙の状態）」だった心に主に経験を通して知識が築かれると論じた。この考え方を経験論という。

18世紀　デイヴィッド・ヒューム（1711～1776）は，推論のみでは周囲の世界についての情報を得ることはできないと考え，人間の知識はすべて，経験に基づくという経験論的見解をとった。

19世紀　チャールズ・ダーウィン（1809～1882）は，遺伝する遺伝子要因も行動に影響すると示すことによってタブラ・ラサという考えに疑問を呈した。

20世紀初期　ウィリアム・ジェームズをはじめとする初期の心理学者たちは，知識には生得的なものもあると考えた。しかし，エドワード・ソーンダイク，ジョン・B・ワトソン，バラス・フレデリック・スキナーといった行動主義者たちは，知識を入力ー出力（刺激ー反応）の関係としてのみ捉え，知識はすべて学習によると主張した。また一方で，マックス・ヴェルトハイマー，ヴォルフガング・ケーラー，クルト・コフカらのゲシュタルト心理学者たちは，感覚によって得られる情報を認識するために知覚の生得的能力が必要だと唱えた。

20世紀中期　行動主義に対する反動から，心理学が思考・問題解決・記憶・創造性などの認知的処理を扱うようになった。

20世紀末期　伝統的ギリシャ哲学の重要な側面ではなかった社会的学習や社会的認知に心理学がさらにかかわるようになった。

ルネ・デカルト

ルネ・デカルトは認識論や心の哲学に関する近代的議論の課題を掲げました。啓蒙時代の中心的人物の一人です。

あざむく悪霊

デカルトは人間が物事を知る方法に関心をもっていました。**人間のすべての感覚を惑わすことのできる悪霊**がいると仮定し，「自分が**見たり聞いたり触れたりする**ものを何一つ信じられないとしたら，**何かが存在すると確信をもつことができるのか**」と想像する思考実験を行いました。デカルトの答えは「自分自身は存在しているに違いない。そうでなかったら，**思考をしているのはだれなのか**」というものでした。悪霊が自分をあざむくためには，あざむかれる「自分」がいなくてはなりません。これが有名な**「コギト・エルゴ・スム（我思う，ゆえに我あり）」**の意味です。

心身二元論

次にデカルトは自分が存在を認めた**「我」の本質**が実在することを検証しようとしました。
その結論は，
「我」の本質は**五感という感覚**をもつ**身体とは明らかに異なる**というものでした。
すなわち，
身体と精神は別ものということです。
身体は生き延びるのに必要な物理的なことをする**機械**と基本的には変わらず，
逆に精神には**生来の合理的思考力**があると論じました。
心身二元論として知られるこの考えは21世紀に至るまで**医学的思考**に大きな影響を与え続けました。

合理主義

人間の**感覚**は惑わされやすいので，**知識の根源とするには信頼に値しない**とデカルトは考え，主に**推論**などの**精神活動**を通して人間は**知識を獲得する**と論じました（**合理主義**と呼ばれる考え方）。

空中浮遊人間

イスラム世界の哲学者**イブン・スィーナー**（ラテン名：**アヴィケンナ**／980頃～1037）は，**デカルト**の「我思う，ゆえに我あり」に**先んじて，感覚への刺激を受けることなく空中に浮かぶ人間**について説明する**思考実験**をしていました。感覚的経験を得られない状況でも**思考は可能であり，自己認識**もあることから，身体とは別に**魂**もしくは**精神**が存在することが明らかだと唱えました。

イギリス経験論

17世紀に発展したイギリス固有の認識論へのアプローチは経験論と呼ばれています。

経験に基づく知識

ヨーロッパ本土の**デカルト**らが提唱した**合理主義**とは対照的に，イギリスの哲学者たちは**知識の主要な根源**は**経験**だと論じました。

トマス・ホッブズ（1588〜1679）

唯物論者のホッブズは，**本来，森羅万象**は**完全に物理的**な存在であると確信し，**精神は独立した「非物質的な実体」**だとするデカルトの見解を否定しました。人間も大自然の一部なのだから**純粋に物理的**な存在であるはずだと考えたのです。人間は**精巧な機械**とみなすことができ，**精神の働き**でさえも**物理法則によって決定される**と主張しました。

ジョン・ロック（1632〜1704）

ジョン・ロックも**また，デカルトの合理主義に反対する立場をとった**一人でした。**生得的知識などない**と説いたのです。人間は**感覚，感情，観念**を理解する身体装置をもって生まれるのであって，これがすべての知識の源だという考えでした。生まれたばかりの人間の心はタブラ・ラサ（**白紙の状態**）であり，人間が**感覚に由来する経験を省察**（せいさつ）し，**複合観念となる**ことによって知識が**獲得される**としました。その結果，知識は人間が経験できることに限られるのです。

デイヴィッド・ヒューム（1711〜1776）

デイヴィッド・ヒュームは**情動**＊が**人間性**に与える役割に関心がありました。ヒュームが主張したのは，理性よりむしろ**情動的衝動や本能的衝動が人間の行動を決める**ということ，そして**合理的思考ではなく経験によって知識が獲得される**ということでした。「**理性は情念の奴隷である**」と述べて合理主義を批判しました。

＊情動：動的側面が強調されたもので，立ち上がりが早く，持続が短く，強い反応として表れる感情状態のこと。

科学的手法

17世紀以降，経験的証拠を調べて仮説を検証するという系統的手法が，科学的基準として際立つようになりました。

年表

- **紀元前5000年頃～紀元前2000年頃**　古代バビロニア文明および古代エジプト文明において観測や帰納法*という経験過程を通して，天文学と数学の知識が拡大した。
- **紀元前4世紀**　アリストテレスが帰納的推論を使って観察から一般的原理を推論する方法を提唱した。
- **9～11世紀**　イブン・アルハイサム（ラテン語名：アルハーゼン）をはじめとするイスラム世界の哲学者らが，科学理論を裏づける証拠を得るために，実験と測定を行うための経験的方法を考案した。
- **1620年**　フランシス・ベーコンが自著『ノヴム・オルガヌム ― 新機関』にて，科学的研究における体系立った経験的実験手順を提唱した。
- **1637年**　デカルトが自著『方法序説』にて，確実であると判明していることから演繹（えんえき）*する合理主義的手順を科学研究で用いることを推奨した。
- **1638年**　ガリレオ・ガリレイが実験および結果の数学的分析を解説した『二つの新科学対話』を発表した。
- **1687年**　アイザック・ニュートンが自著『プリンキピア（自然哲学の数学的諸原理）』にて厳密な経験的観察と帰納法からなる科学的方法を提唱した。

＊帰納法：複数の事例から結論を導き出す推論方法。

＊演繹：一般論や普遍的な事実を前提とし，それに当てはめる形で結果を導き出す推論方法。

科学的手法とは何か

単一の科学的手法というものがあるわけではなく，科学で用いられているのは**一般的な方法論**だけです。つまりは，**仮説を科学的に検証し，理論を立証するための信頼できる証拠を集める**ことです。その典型的な手順には以下のような段階があります。

1. 観察し，観察した現象に関連する問いを立てる。

↓

2. 問いに対して考えられる答え「仮説」を掲げる。

3. 仮説を支持するか，あるいは否定する結果が得られるような実験を計画する。

4. 制御された条件下で実験を行い，仮説を検証するためのデータを集める。

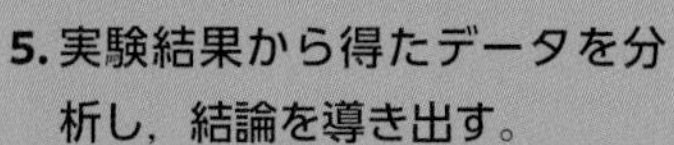

5. 実験結果から得たデータを分析し，結論を導き出す。

6. 論文を書き，査読者の査読を得て，結果を発表する。

心理学の発展

学問としての心理学が成立したのは19世紀後半のこと。さまざまな研究分野を統合する形で誕生しました。

自然哲学

人間の心はどのように働き，意識を構成するのは何かという疑問に次第に関心を強めた**哲学の一部門**がありました。この部門は**デカルト**や**ロック**の思想といった，以前の哲学概念を多数取り入れ，最終的に「**自然哲学**」と呼ばれるようになったのです。この哲学部門を**出発点**として**ウィリアム・ジェームズ**は**心理学への取り組み方**を発展させました。

実験心理学

人間心理に関心をもつ**科学者**が徐々に増え，**心の働き方**を探究するために**実験的手法**が用いられるようになりました。1875年には**ヴィルヘルム・ヴント**によって**最初の心理学実験室**がドイツの**ライプツィヒ**で設立されます。ヴントは**注意**や**感覚**，**連合***がどのように意識に**影響**するのかを研究しました。

＊連合：心的要素の結びつきが形成される際の法則。

医学

16世紀以来，医学の専門家は**臨床例**を通して**人間の脳**を研究してきました。19世紀半ばに起きた**フィニアス・ゲージ**の事故の症例によって**好奇心**を刺激された科学者たちが**脳の働き方を調べる**ようになりました。**イワン・パブロフ**は**生理的反射**がどのように**学習**されうるのかを明らかにしました。また，**ジークムント・フロイト**の**無意識**についての研究に学術的関心が寄せられました。

ウィリアム・ジェームズ

ウィリアム・ジェームズは19世紀末に「発展途上の科学」であった心理学の開拓者でした。

大学の認可

「**アメリカ心理学の父**」と言われるジェームズは，**ハーバード大学**の医学部で教育を受け，**大学**で**生理学**と**解剖学**についての講義を始めました。ここから彼の専門職としての道のりが始まります。**心理学**と**哲学**への関心は大学在学中にドイツに留学したときに芽生えました。**ハーバード大学**に**最初の心理学の講座**を開設し，**精神の研究に科学的厳密さ**をもったアプローチをもたらしました。

心理学原理

ウィリアム・ジェームズの**画期的な著書『心理学原理』**（抄訳書『心理學の根本問題 現代思想新書6』）のなかで，ジェームズは心理学を「**精神生活の科学**」と定義づけました。同書では，**本能，情動，習慣，生理機能が行動に影響する程度**について論じ，**それまで哲学の分野とみなされていた自由意志**などのテーマも取り上げました。

意識の流れ

ジェームズは，人間の**行動**がどのように**周囲の状況，環境，本能に影響される**のかについて探究しました。**意識の主観的な経験**を**知覚と思考の連続した精神的過程**と捉え，**絶え間ない「意識の流れ」**と表現したことで有名です。

悲しいから
泣くのではない
泣くから
悲しいのだ

情動を感じるとは

現代心理学を学ぶ人たちにとっては，ウィリアム・ジェームズは**情動のジェームズ=ランゲ説**を通してよく知られた存在です。この説は，**情動的感情**を生む**情動の身体的徴候を脳が知覚する**というものです。

ヴィルヘルム・ヴント

世界で初めて心理学専門の実験室を開設したヴィルヘルム・ヴントは実験心理学の確立において中心的役割を果たしました。

心理学的研究

ヴントは当初，医学を学びましたが，**医師**の資格を取得したのちにドイツのハイデルベルクで，生理学者で物理学者の**ヘルマン・フォン・ヘルムホルツ**に師事しました。ヘルムホルツとともに**知覚の生理機能**についての**革新的な研究**を行うなかで**心理学**への関心を深め，また，**感覚刺激への反応の検証と測定をするための実験器具**を扱うという**貴重な経験**を積みました。

実験室

ヴントは，実験心理学についての書としてはおそらく最初のものとなった『生理学的心理学綱要』を1874年に著しました。これをきっかけに**ライプツィヒ大学**に招かれて**「科学哲学」の教授**に就任します（当時，心理学はまだ大学の課程に含まれていませんでした）。ヴントが同大学で心理学**実験室**を開設したことから，**大学が心理学を正式な学問対象として認めることになりました。**

内観

知覚と記憶の心理学についての研究を続けるのと並行して，ヴントは**精神過程を調べる方法**も編み出しました。教え子の学生たちが**精神的経験**について**厳選した質問**をされた際，学生たちがより**客観的に答える**ことができるように**内観**の訓練を施しました。

社会心理学

ヴントは**社会心理学**についても**一連の研究**を行いました。その成果は全10巻の『**民族心理学（Völkerpsychologie）**』にまとめられ，1910年から1920年にかけて出版されました。この書は**社会心理学**および**社会学**の分野に**大きな影響**を与えました。

イワン・パブロフ

条件反射についてのイワン・パブロフの医学研究は心理学の発展に多大な影響を及ぼしました。

きっかけ

イワン・パブロフ（1849~1936）は，ロシア・サンクトペテルブルグの**実験医学研究所**で**消化系**の研究をする**生理学者**でした。**食事中に唾液の分泌がどのように増えるのか**を測定する実験の過程で，実験用の**犬たち**が**餌を手にした世話係を一目見るなり**唾液を出し始めたことに気づきます。この実験により，どのように**反射の条件づけ**が可能になるのかを調べる**画期的な研究**につながりました。

パブロフの実験

犬に餌を与える前にベルやブザーを鳴らすなどの実験を多数行ったパブロフは，**新たな刺激**（例：ベル）を**以前の刺激**（例：餌）と対にして呈示することで**学習**（すなわち，**条件づけ**）が起こることを発見しました。最終的に新たな刺激が以前の刺激と**同じ反応**を引き起こしたのです。

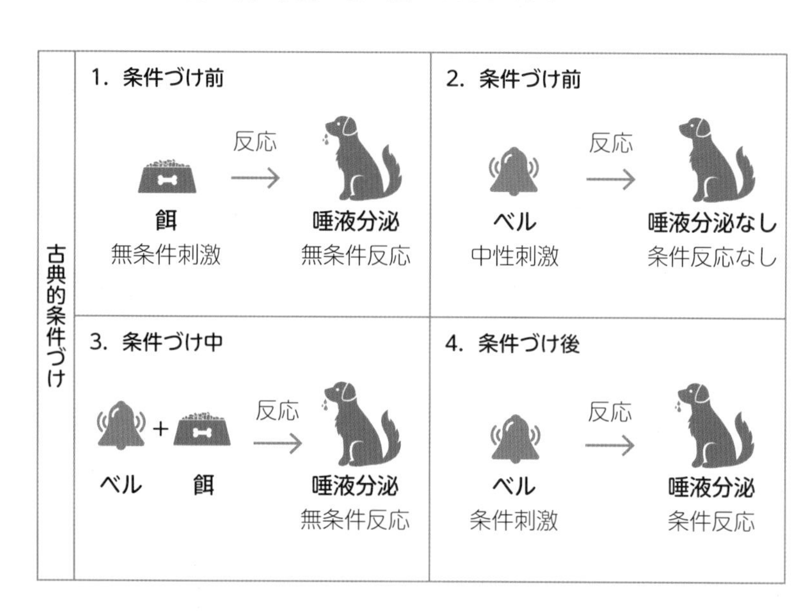

実験の意味

こういった実験が重要であるのは，それまでは**身体の反応**が**生まれつきのものであり，制御できないものだと思われていた**からです。このようなものさえ**条件づけ**できるということを示すことで，**学習**が**生理的レベルで**可能だとパブロフは実証したのです。その結果，**刺激と反応を結びつける学習**が**動物**と同様に**人間の心理**にとっても**重要な「要素」**かもしれないという考えが生まれました。

行動主義

**20世紀初めに西洋社会に広がった近代主義的思考を反映して
行動主義が初期の心理学に大きな影響をもたらしました。**

行動主義の父　ジョン・ワトソン

ジョン・ワトソン（1878～1958）は**条件反射**についてのパブロフの研究に基づいて，動物における**連合学習**を研究しました。1915年に**アメリカ心理学会**の会長に就任した際の会長演説で，**心理学はもっと科学的になる必要がある**と主張しました。そのためには，**精神**ではなく**客観的に研究することができる行動のみ**を扱うようにする以外に方法はないと考えたのです。

心の働きの「最小単位」

物理学における**原子**，**生物学**における**細胞**，**遺伝学**における**遺伝子**といった**基本単位**の発見によってほかの科学が転換を遂げていました。ワトソンにとっては，**刺激─反応（S-R）の学習**が心理学の「最小単位」であり，**人間のすべての経験の基盤**となるものでした。したがって，**学習**は心理学の核であり，行動を見ることでのみ学習を研究できるのだと考えました。

バラス・スキナー（B. F. スキナー）

バラス・スキナー（1904～1990）は，刺激と反応の結びつきが**快適な結果，または不快な結果へと結びつく**ことによってどのように**強化される**（強められる）のかについて研究しました。実験は，**報酬**を得ることによって**正の強化**が与えられ，**不快な結果を止めたり避けたりすること**によって**負の強化**が与えられるというものでした。**手順を一つずつ踏む**ような**行動の小さな変化を強化する**ことによって，非常に**複雑な学習形態**の組み立てが可能になることを示し，スキナーはこれが**人間のすべての行動と社会が形成される方法**であると主張しました。

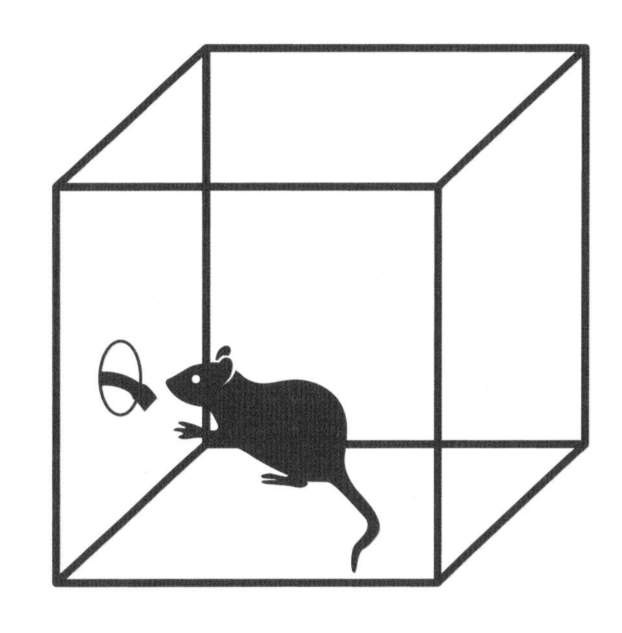

ゲシュタルト心理学

行動主義の厳密さに反発してヨーロッパで生まれた心理学です。

ゲシュタルト学派

行動主義は**アメリカ**では支持を集めましたが，**ヨーロッパ**では事情が異なりました。行動主義者の厳密な経験主義に**はっきりと反対する立場**をとって20世紀前半に**心理学のゲシュタルト学派**が台頭しました。**経験の完全な形**は，**刺激—反応結合の組み合わせから成り立つ集合物以上**の存在（まとまり）であり，人間は生来この全体性に注目するものだとゲシュタルト学派は主張しました。

ゲシュタルト心理学者は**精神**を研究しましたが，特に**問題解決や知覚**などの**認知**面を扱いました。人間は，受け取った**無数の感覚情報**を理解するための**生得的な知覚の原理**を用いるとゲシュタルト学派は主張しました。このような原理がすべて組み合わさることで，私たちは**ばらばらの印象のかけらの寄せ集め**ではなく，**意味のある全体**を知覚することができるのです。

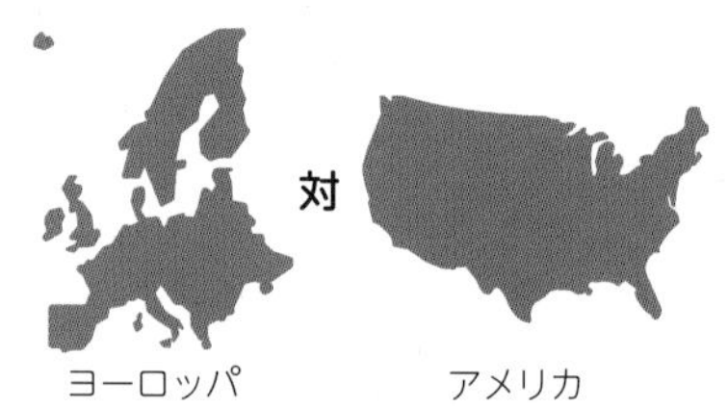

プレグナンツの法則

プレグナンツの法則は，私たちが**感覚的な印象**を**一つにまとめて体制化する**ために用いる**生得的原理**です。以下のものが含まれます。

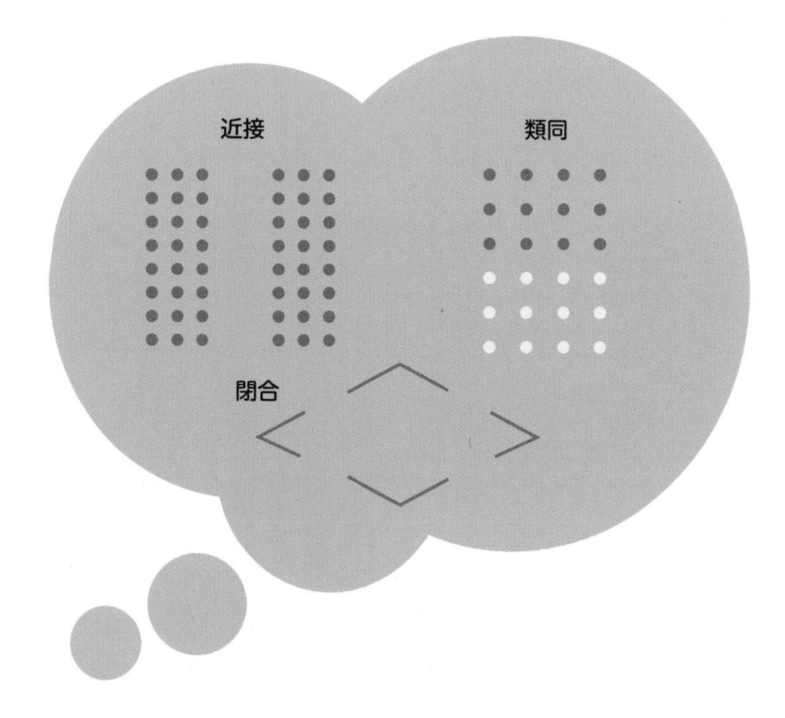

ゲシュタルト療法

ゲシュタルト原理に基づく**心理療法**が**フリッツ（フレデリック）・パールズ**によって考案されました。この療法は**経験の全体性**を重視し，患者に**「今，ここ」に集中する**よう教えることに焦点を置くものでした。このような考えはのちに**「マインドフルネス」**として知られる技法に発展することになります。

人間性心理学

行動主義の厳密さに反発してアメリカで生まれた心理学です。

人間主義学派の出現

アメリカの心理学者がすべて，**行動主義**の考えを受け入れたわけではありません。20世紀半ばには，**それぞれの状況における人間の全体性への関心**を反映した，**人間性学派**が現れました。

レヴィンの「場の理論」

クルト・レヴィン（1890～1947）は**行動主義者のS-R（刺激-反応）アプローチ**に異を唱えました。**人間の行動**（特に**社会的行動**）は，その人物が活動する**社会的な「場」**，すなわち**環境**において**のみ理解する**ことが可能だというのがレヴィンの主張でした。また，実験参加者は**実験者の要求**を感じ取り，その要求に応えようとするものなので，研究者はそのことを認め，**研究の鍵となる部分**として組み込むべきだと言います。それを根拠にアクション・リサーチの考えを導入しました。

自己
実現欲求

承認欲求

愛と所属の欲求

安全欲求

生理的欲求

マズローの動機づけ理論

人間の動機づけは，行動主義者が示唆するような単に**飢えや苦痛を避けようとすることよりはるかに複雑**だと**アブラハム・マズロー**（1908～1970）は論じました。マズローの提唱した**人間の欲求の階層**では，**基本的な低次の欲求**が満たされるにつれて，**より高次の欲求**が重要になっていきます。**階層の一番上**は**自己実現**であり，これは**認知的欲求，個人的欲求，社会的欲求のすべて**が**満たされ**，自分の**潜在能力が最大限**に発揮できている状態です。

ロジャーズの「基本的欲求」

カール・ロジャーズは人間には**二つの基本的欲求**があると唱える**臨床心理学者**でした。その一つは**他者からの無条件の肯定的関心（愛や尊敬など）**への欲求であり，もう一つは**自分の潜在能力を伸ばしたい（自己実現したい）**という欲求です。どちらの欲求も大切であり，**どちらかを満たせないことが神経症**あるいはそのほかの**精神科的問題**を引き起こすとロジャーズは考えました。その研究により，**集団療法**をはじめとする多くの**新たな治療法**を生み出しました。

心理学の研究法

人間は複雑であるゆえに，心理学では人間の経験と行動の多種多様な面に対処することのできる研究法を考案する必要がありました。

内観

初期の心理学者は**内観**に頼っていました。内観は**自分自身の思考と感情を分析する**ものです。**注意深く厳密に**行われましたが，20世紀の心理学にとっては**「科学的」**であるとはみなされませんでした。

実験室での調査

科学的な心理学のための研究は，**実験室で行われること**が重視されるようになりました。これは特に**学習**についての研究で顕著でした。実験には**条件制御された統制**（対照実験）に加えて**実験的観察**（観察実験）も含まれていました。これらの方法では，実験室という状況のなかにいる人間の行動を注意深く**記録し，評価していました**。

現実場面での研究調査

心理学は**常に応用的な面**を強くもっていました（**「行動主義の父」ジョン・ワトソン**は**広告業**に転職し活躍しました）。特に**組織心理学者は，現実場面**での**人間の行動**を対象にしています。このようなアプローチは，20世紀後半により一般的なものとなりました。

質的データと量的データ

特に生物学的心理学といった心理学の領域や**神経学**では**質的データ**（例：**脳の損傷**がどのように感じられるかという患者自身による**説明**）を用いることが常でした。しかし，**「科学的客観性」**が強調されることで**量的データ**，つまり**数字**にこだわるようになり，その傾向は20世紀中続きました。とはいえ，**現実場面での経験**を説明するのに数字は**必ずしも適してはいません**。現在，**21世紀の心理学**では**研究データとして質的と量的両方の形式**も認めています。

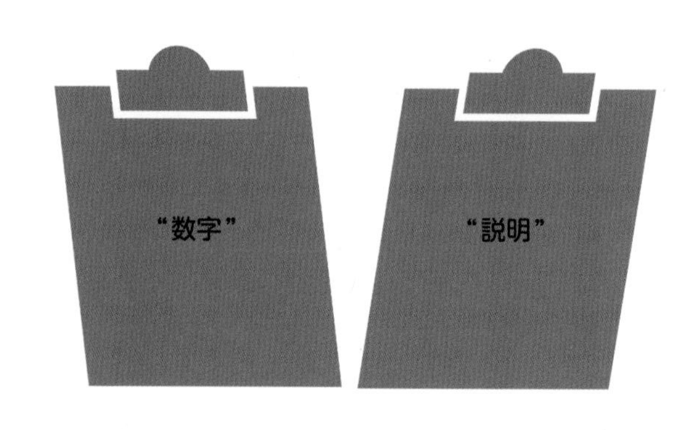

実験

別の何らかの測度で変化を起こすために環境条件（変数）を操作することが実験には含まれます。

実験室実験

実験室での実験では，**変化を引き起こす要因が研究対象の変数のみ**になるように**厳密に制御**しなくてはなりません。大半の**初期の心理学実験**は**動物**を使用していましたが，これは比較的行いやすいものでした。**人間の実験参加者**を対象とする場合，統制は容易ではありません。その理由は次の通りです。

- 人間は**経験**から**学習**し，**練習効果**（実験参加者による実験の慣れ）が生じる。
- 人間は**実験の趣旨**を**推測し**，**その推測に沿った行動をとる**。
- 人間は実験者の**微妙な言動**から，自分が**どのような行動をとることが求められているのか**に気づくことがある。
- **特別に個性的な参加者**が**多数派と異なる**結果を示すことがある。

統制実験

実験の条件制御には以下のようなものが含まれます。

- **練習効果を防ぐ**ために**課題を提示する順序**のカウンターバランスをとる。
- 参加者が**実験の目的を知ることができない一重盲検法**を用いる。
- **実験担当者も実験の目的を知らされない二重盲検制御法**を用いる。

実験の倫理

すべての心理学の研究は**倫理指針**に従い，**実験者が実験参加者を虐待したり**，許可なく**偽りを言ったり**することを防がなくてはなりません。

現実場面での実験

現実場面での実験は**厳密な統制を行うことについては妥協**する必要がありますが，得られるデータが**より現実的であること**が多いということによって相殺されます。より現実的であるというのは，**日常生活での人間の行動の仕方により則している**ということです。

観察

研究は必ずしも実験によって行われるのではありません。観察のほうがよい場合もあります。そのため観察による心理学的研究も多数あります。

観察研究

観察研究は**高度に条件制御された実験室での観察**から**自然場面**＊での「**現場」観察**まで多岐にわたります。実験室内観察は**観察者の姿**が**被観察者**から**見えない**ようにする**マジックミラー**がよく使われます。観察研究の**主な問題点**は**観察者の存在が被観察者の行動に影響を与える**ことです。

この問題を解決するために，**隠しカメラ**などの**テクノロジー**を利用したり，被観察者が**観察者に慣れ親しむことで存在を気にしなくなる**ようにしたり，**観察者が積極的に関与したりする（参加観察）**という策がとられます。

＊自然場面：自然のありのままの行動を観察するための場面。

動物の観察法

動物を観察する場合は**自然な環境**のなかで行動を研究します。特に**子どもや買い物客**などを対象とするときに**心理学者**がこの方法をよく用います。また，**動物の行動**を研究するときにも使われます。

調査

調査はより**間接的な形式の観察**です。具体的には，**質問紙**（注意深く計画された特定の質問をまとめたもの）を使って**対象者の行動について質問**します。**多数の人々**を対象にすることができ，また，**行動や態度などについての測定可能な統計的根拠**を提供できます。

質問紙の誤謬

質問紙における**重大な問題**は，**回答者の行動や考えを実際に反映している**という信念です。**回答者**が回答していることは，質問への回答として回答者自身が**望ましいと思っていること**を紙に反映しているということです。そのため，回答は実情とはかなり異なったものとなってしまいます。

事例研究と言説

個別事例あるいは経験についての本人の説明に関連する有意義な心理学的研究があります。

面接法

構造化面接は対象者に，**直接質問の問いに答えてもらう**という，いわゆる単純な質問紙のやり方と同じです。実際には，**特定のトピックを示して回答してもらう半構造化面接**のほうが多く用いられています。通常，回答は**記録**され，**面接後に分析**されます。

事例研究

事例研究では，**一個人**や**集団**，または**単独組織**の**一例**を取り上げ，**深く掘り下げて研究します**。通常は，**いくつかの異なる研究法**を併せて使います。たとえば，**面接に観察**を組み合わせ，さらに**質問紙**または心理検査を加えることもあります。事例研究では，**より深く研究すること**ができ，**特有の経験**や**特徴的な経験**を探るのに役立ちます。

説明する語りの分析

人の**経験**を**理解する**ことにおいては，**体験を説明する**本人の話し方が重要です。また，説明する人の**外観の観察**から**異なる洞察**を得られることもよくあります。**説明する語りの分析**には**会話**や**談話**を調べることのほかに**説明と行動を比較する**ことが含まれます。

エピソード分析

人間が**人生**を送っているのは**意味のない行動の寄せ集め**のなかではなく，**意味のあるエピソード**のなかだと**ロム・ハレ**（1927～2019）は主張しました。**エピソード研究**はしばしば，**演劇的な隠喩**を使って，**現実の生活上の出来事**をあたかも**劇の一場面**であるかのように扱い，**場面・脚本・衣装・役者**などに目を向けます。これは，**このようなことが**起きていること**すべての異なる面**を分析する必要があることを意味します。実質的には，**人間の経験**を**状況全体**のなかで見るための手法です。

脳スキャニング

心理学研究において最近，発展著しいのは神経心理学です。脳スキャニングを用いることによって，活性化した脳では実際に何が起きているのかを知ることができます。

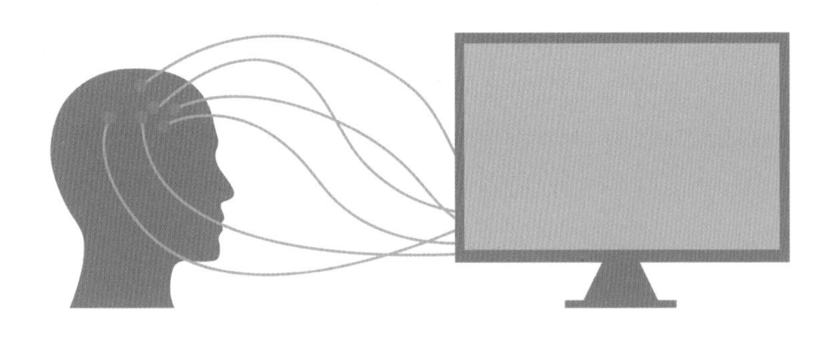

脳波記録法とは，
工場の外に立って，
窓越しに聞こえる音に
耳をそばだてながら，
なかで起きていることを
想像しようとするようなものだ

脳波（EEG）

脳の活動を測る最も古い測定法が開発されたのは1920年代でした。**脳波計**は**頭皮**に装着した**電極**を使い，**一定期間にわたって**脳のさまざまな領域の**電気活動**を測定します。**てんかん発作**などの**深刻な活動の発現**を明らかにするのに役立ちます。

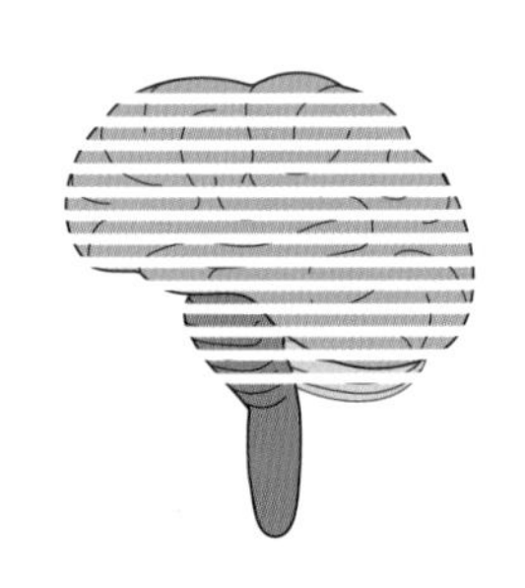

CAT検査

断層撮影の技術は1970年代に開発されました。これは，**X線**などを使って写した**多重画像**を**コンピューター**で処理することによって**器官の「輪切り」つまり断面の画像をつくる**ものです。CATの画像には**損傷組織**や**血栓**，**血液供給**が**妨げられていた**部分が写し出されます。

PET検査

CAT検査法の登場後まもなく**PET（陽電子放出断層撮影法）**が開発されました。PETの検査装置は血流に注入された**放射性物質（追跡子）**の位置や量を検知し，**脳の活発な領域**のような血流が**際立って集中している**部分の**デジタル画像**をつくります。**いくつかの断面像**を組み合わせることで**脳の3Dマップを作成できます。**

fMRI検査

fMRI（**機能的磁気共鳴画像法**）と呼ばれるスキャニング技術は，**放射性の追跡子は使わず**，強い**磁場**と**電波**を利用して**内部器官の画像**をつくります。この技術は**脳の活動**に関連する**血液酸素レベルの変化**を見つける装置として1990年代に開発されました。活発な**神経細胞**は**血流の増加**を示すので，fMRI検査によって**脳のどの領域が活発なのか**を知ることができます。

神経科学

脳や神経系の研究には長い歴史があります。神経心理学として知られている神経科学のこの部門は広く認められている現代心理学の一部です。

年表

紀元前1700年頃　エドウィン・スミス・パピルスに医療の例が記された。これは，古代エジプト人が脳と神経系の生理とその機能についての何らかの知識をもっていたことを示している。

紀元前500年頃　古代イタリア・クロトン生まれのアルクマイオンが神経についての説明のなかで，脳と感覚器官の連結を示唆している。

紀元前460～紀元前370年頃　ギリシャの医師ヒポクラテスが脳は知能と感覚の中心だと主張し，てんかんは脳の障害だと説いた。

紀元前170年頃　古代ローマの医師ガレノスはすべての身体機能と「気質」は脳によって制御されていると論じた。

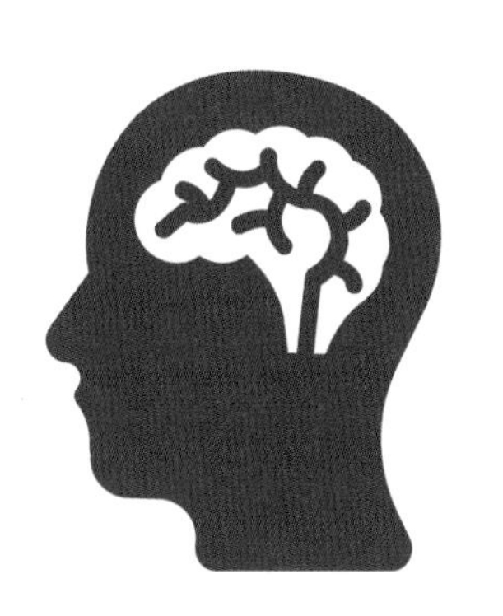

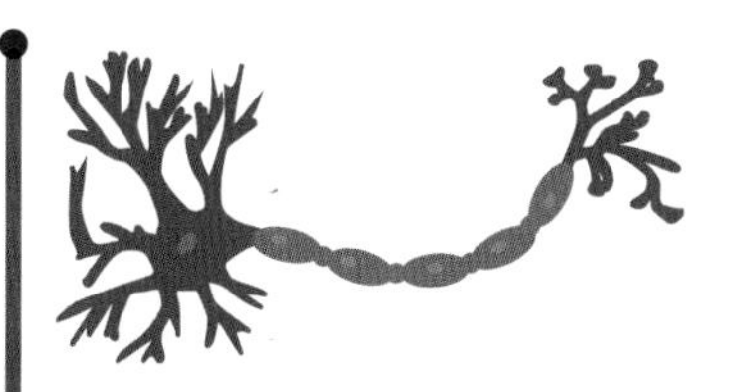

1000年　イスラム世界の医師アッ＝ザフラウィーが医学の教科書『解剖の書』（医学の手法）を著し，神経障害に関する手術方法を説いた。

1543年　フランドルの解剖学者アンドレアス・ヴェサリウスが『人体の構造に関する七つの本』を発表した。この書には，神経系は感覚を伝え，動作を開始する手段だと説明されている。

1664年　イングランドの医師トーマス・ウィリスが包括的な自著『脳の解剖学』において「神経学」という言葉をつくった。

1791年　イタリアの医師ルイージ・ガルヴァーニが筋肉は神経が運ぶ電気によって活動すると示唆した。

1837年　チェコの解剖学者ヤン・プルキニェが小脳内に神経細胞を発見した。

1862年　フランスの解剖学者ポール・ブローカが発話に関連する脳の前頭葉の部位を特定した。

1891年　ドイツの解剖学者ヴィルヘルム・フォン・ワルダイエル＝ハルツが神経系の細胞単位を説明するために「ニューロン」という言葉をつくった。

1906年　カミッロ・ゴルジとサンティアゴ・ラモン・イ・カハールが中枢神経系の構造についての研究の功績によりノーベル生理学・医学賞を受賞した。

神経心理学

初期の脳研究は事故後や手術後の経過の調査に基づいていました。

フィネアス・ゲージ

神経心理学において最も有名な症例は**フィネアス・ゲージ**のけがです。ゲージは鉄道建設の現場監督でしたが，1848年に爆風で吹き飛んだ**突き棒**（大型の鉄の棒）が**頭部を貫通する**事故に遭いました。**脳が損傷したに**もかかわらず，荷車に乗って自力で宿泊先へ戻れるほど，**意識をはっきりと保っていました**。**ジョン・ハーロウ**医師の診療のおかげでゲージの**身体は治りました**が，その後**性格が変わり，短気で辛抱ができず，衝動的になった**と報告されています。しばらくの間，興行師**P.T.バーナムのサーカス**で傷跡と突き棒を見せる公演をしていたとされ，のちにチリに移住し，数年にわたって，駅馬車の御者の仕事に就いていました。1860年没。

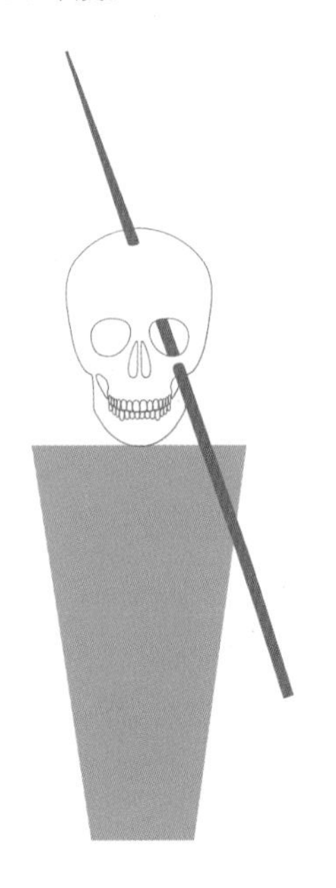

言語域

脳の特定の領域に負った損傷が固有の**言語障害**を引き起こすとする**外科医ポール・ブローカ**の研究が1861年に発表されました。この言語障害を有する患者は**発話に問題がありながらも，音声言語の理解に問題はありませんでした**。1876年には，損傷を受けると**音声言語の理解に問題が発生する反面，発話に問題の起きない**脳の別の領域を**カール・ウェルニッケ**が同定*しました。

＊同定：突き止めること。確認すること。

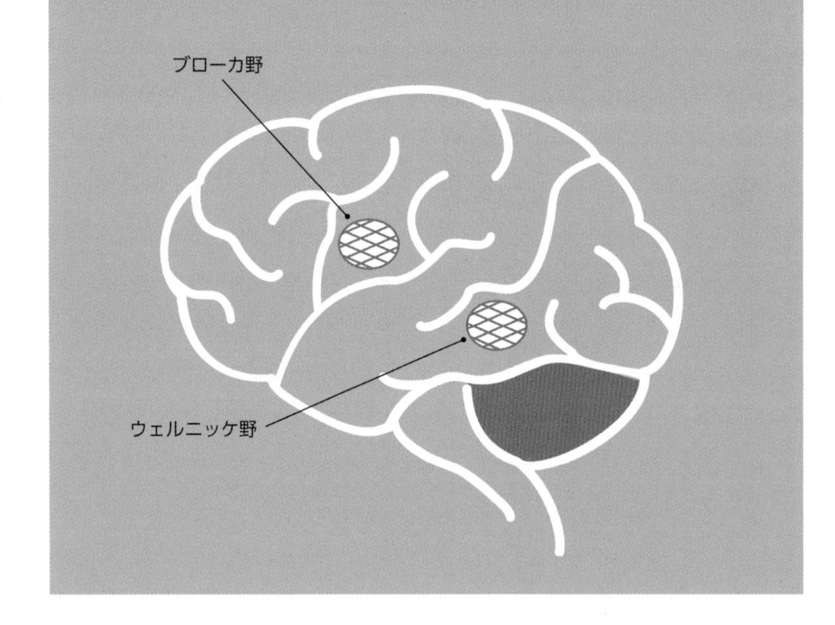

連合皮質

ブローカ野とウェルニッケ野の発見により，**特定の脳活動**が局在していることが明らかになりました。とはいえ，**脳スキャン（脳走査）**が開発されるまで，脳の大部分は，異なる**入力情報**と**記憶**を結びつけるという一般的な機能を担う**連合皮質**で占められていると考えられていました。

神経系

神経系は体中に張りめぐらされている神経線維と，脳と脊髄を形成している神経線維からなるネットワークです。

中枢制御

脳と**脊髄**を合わせて**中枢神経系**（CNS）と言います。中枢神経系は**情報**を**処理し**，**体系化する**（その結果，**思考**や**意図**などが生まれる）とともに，**身体**から**感覚情報**を受け取り，**筋肉**に**信号を伝えて運動**を起こさせる働きをします。

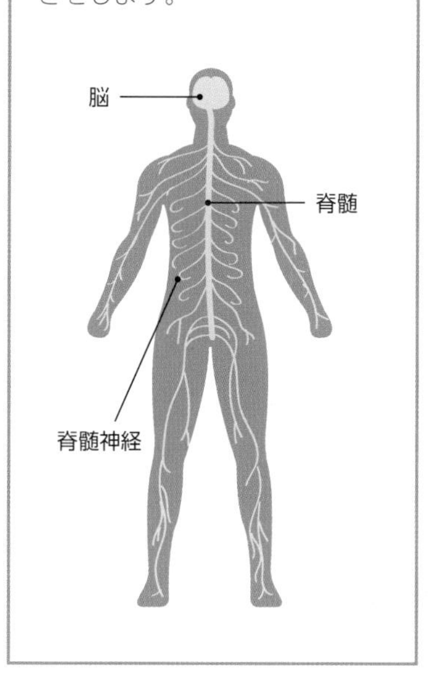

反射弓

反射のなかには**脊髄**によって生じるものがあります。たとえば，手が**熱い物体**に触れると，**皮膚**上の**温受容器**から信号が**求心性神経**に沿って**脊髄**へ伝えられ，その信号が今度は脊髄から**遠心性神経**を経由して**筋肉**へ送られることにより，手を引っ込めます。**この反応に脳は関与していません。**

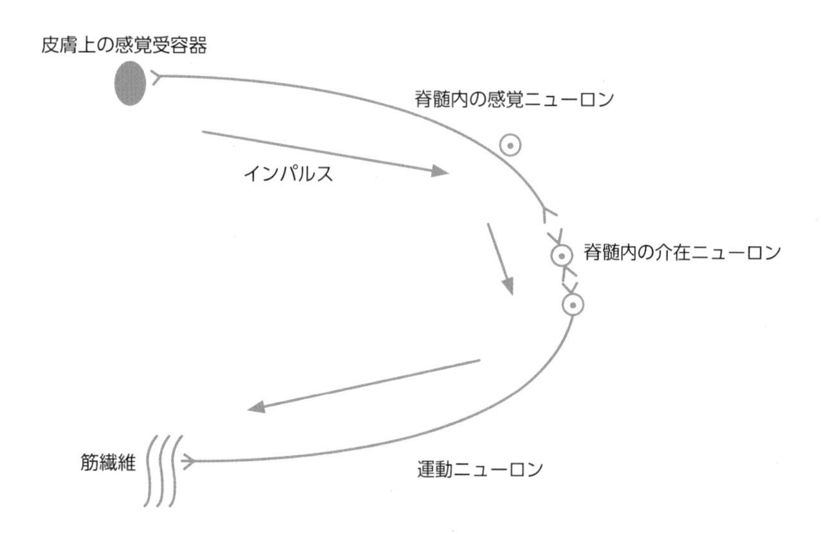

情報伝達

全身に張りめぐらされた**神経のネットワーク**が**末梢神経系**（PNS）を形成しています。**求心性神経**が**感覚情報**をCNSに伝える一方で，**遠心性神経**がCNSから**筋肉**へ**信号**を運びます。

変換

微小な電気パルスが神経線維に沿って伝えられることによって**神経系**は機能します。**感覚器官**の役目は**入力情報**（**光**，**音**，**感触**など）を**CNS**に伝達可能な**電気的な情報**に変えることです。この作用を**変換**と言います。

神経の処理過程

化学的な交換によって発生する電気を使って神経系は機能します。

電気的伝達

神経細胞（ニューロン）は**化学的な交換**によって発生する**電気的なインパルス**を**細胞膜**に沿って伝えます。ニューロンの多くに絶縁性のミエリン鞘が巻きついており，ニューロン間の**隙間**以外で**イオン交換**が起きない構造になっています。このため，細長い**神経細胞**に沿って**隙間から隙間へとインパルスが跳躍し，信号がより速く伝達されます。**

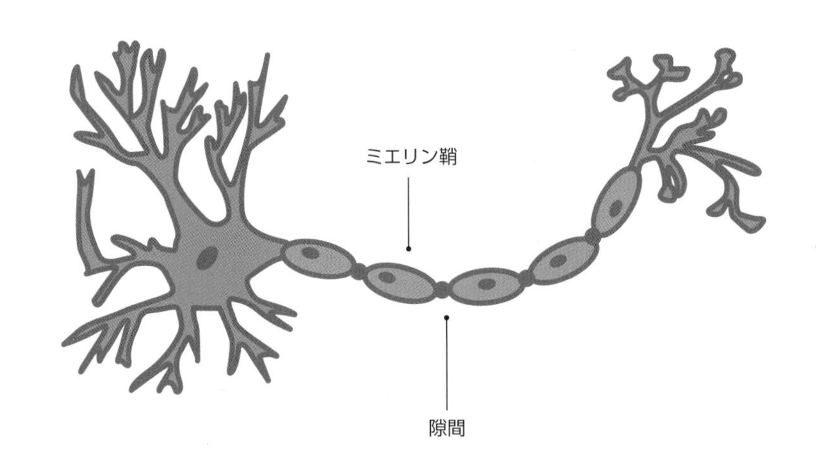

シナプス伝達

神経細胞が互いに**接触する**ことはありません。**シナプス**と呼ばれる**隙間**を介して**連結します。電気的なインパルス**が一つの神経細胞の末端に到達すると，これが合図となって**化学物質**が隙間に流れ込みます。この化学物質を**後続のニューロンの受容体部位**が受け取ります。隙間が**興奮性シナプス**であれば，そのニューロンが**インパルス**を生成**しやすくなり，抑制性シナプス**であれば生成**しにくくなります。**

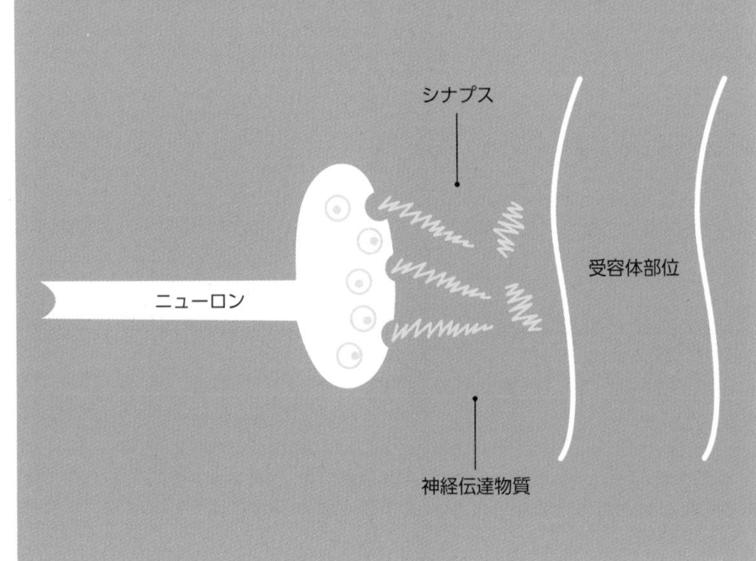

神経経路

興奮性シナプスと**抑制性シナプス**があるということは，脳内の**ニューロンの集合体群**をめぐる**経路**を脳がつくれることを意味しています。神経経路は**関連情報**と**それに応じる脳の部位**を**結びつけます。**

神経伝達物質

ニューロン同士をつなげるために多数の異なる**化学物質**が使われます。代表的なものには，**ドーパミン，アセチルコリン，セロトニン，エンドルフィン**などがあります。薬物の多くはシナプスで**これらの化学物質と似た働きをして**神経伝達物質の放出を**ブロックしたり，増やしたり**することで効果を発揮します。

視覚

人間にとって視覚は最も基本的な感覚であり，脳のいろいろな領域が関連しています。

光を集める

網膜内の**細胞**が**光**を**検出し**，**電気的なインパルス**に**変換します**。**感度が**非常に**高い桿体細胞**は**動き**による変化に**すばやく反応します**。**それほど高感度ではない**ものの**色彩を検出する錐体細胞**は**細部**を見ることを可能にします。これらの細胞内で起きる**化学的な変化**によって**電気的なインパルス**が生成され，**視神経**に伝えられます。

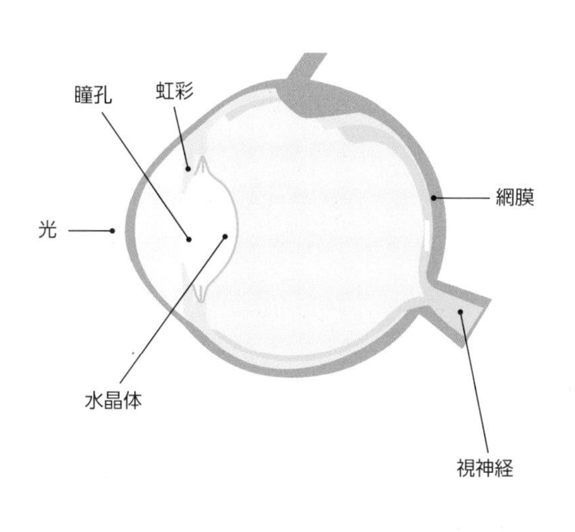

視覚的なメッセージを送る

視覚情報は**視神経**に沿って**視床**へ伝わったのちに**脳の後部**にある**視覚野**へ受け渡されます。**両目から送られた情報**は**視交叉**と呼ばれる**交叉部**によって**脳の同じ部位に到達しますが**，これは**距離**をつかむために必要なプロセスなのです。**視床**では**基本的なパターン**や**形**の分類が行われます。

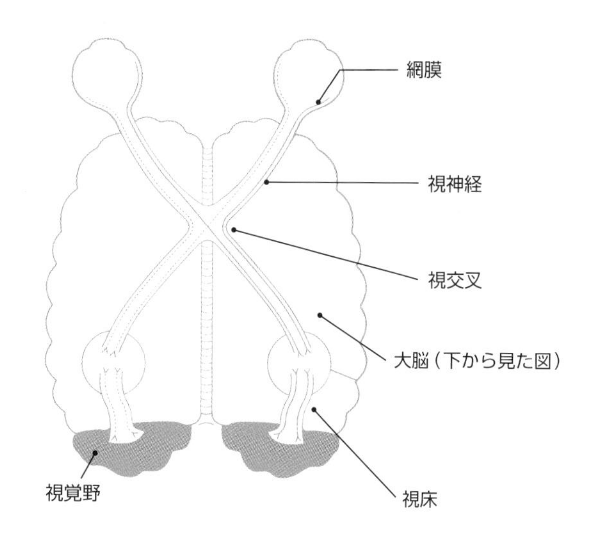

動きの知覚

動きを検出できるかどうかは**生存**にかかわるものですが，人間の脳は**細切れの視覚情報を連続的に動いて**見えるように**自動的につなげる**働きをします。**映画**や**テレビ**などの映像が**動く画像**として見えるのは，このような仕組みによります。

聴覚

感覚器官のなかで聴覚は２番目に重要な感覚であり，日常の社会的交互作用の主要な部分を占めています。

音声情報は**空気**中の**振動**です。耳によって，この音声情報が**集められ**，**増幅された**のち，**電気的なインパルス**に**変換されます**。**外耳（耳介）**が**情報を集め**，**中耳**が**増幅し**，**内耳**にある**蝸牛**（かぎゅう）が**電気的なインパルス**に**変換して聴神経**に伝達します。

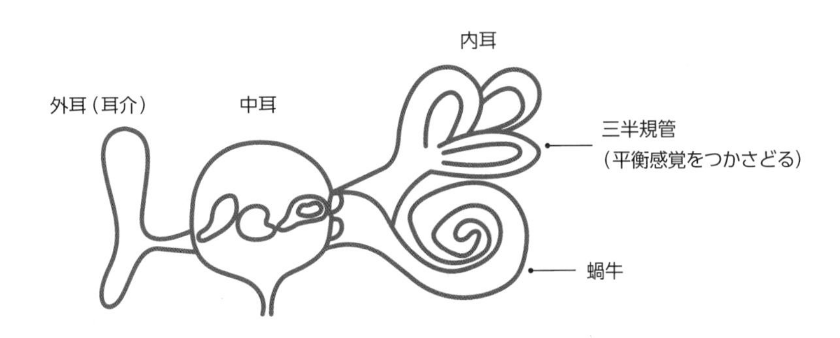

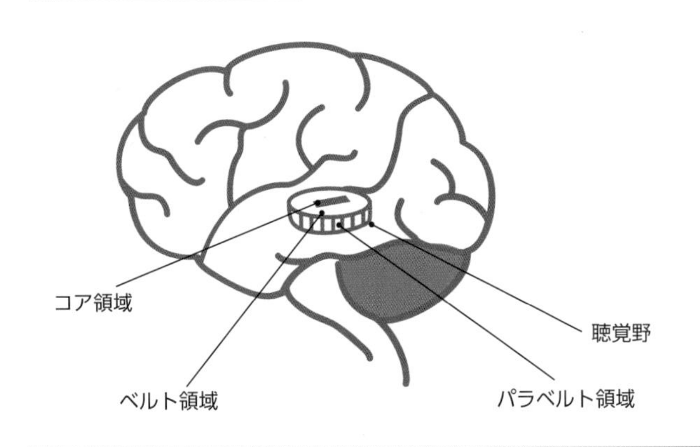

聴神経は情報を**視床**へ受け渡します。そこから情報は**脳の側面**にある**聴覚野**へ送られます。聴覚野には**三つの領域**があり，**「コア領域（中核部）」**が**情報を符号化し**，**「ベルト領域（それを取り囲む領域）」**が**情報の内容**（what）**や空間的位置**（where）を認識し，**「パラベルト領域（外側の領域）」**がその**情報**と**記憶やほかの知覚と**を**結びつけます**。

聴覚野が特に**鋭敏に反応する**のは発話です。**ほかの音**より**人間の声**のほうが**認識し**やすいのです。また，人間は**音楽**にも強く反応し，自分の属する文化に**古来より伝わる音楽の様式**をいとも簡単に習得してしまいます。**音楽**は**脳の両半球で処理されます**が，**処理の仕方は左右で異なります**。

聴覚と**運動**は**強く結びついている**ので，人間は**音楽のリズムに合わせて体を動かす**という**反応が自然に起きます**。これが**ダンス**に発展するのです。**どの国の文化にも**ダンスがあります。

そのほかの感覚

内部感覚と外部感覚のどちらにおいても，ほかにもさまざまな感覚があります。

嗅覚

嗅覚は原始的な感覚であり，人間の嗅神経は大脳皮質に加えて扁桃体（情動を処理する脳の部位）にも直接つながっています。そのため，においは**情動的な記憶**を呼び覚まします。

味覚

主な味には**塩味，甘味，酸味，苦味，うま味**の５種類がありますが，**味覚受容体**は**多種多様な味と食感**を検出します。**味神経**は**大脳皮質**の特定の領域のほかに脳の**報酬系回路**（37ページ参照）につながっています。

触覚

触覚には，実際には**三つの異なる感覚**があります。すなわち，さまざまな種類の**圧力**を検出する**機械受容感覚，温度**を検出する**温度感覚，痛み**を検出する**痛覚**です。痛みには**脳の複数の領域**がかかわっています。興味深いことに，**困惑**や**排斥**（はいせき）によって生じる**社会的痛み**は**身体的痛み**の場合と**同じ脳の領域**を刺激します。

内部感覚

人間には身体について脳に知らせる内部感覚があります。たとえば，身体がどのような**姿勢をとっている**のかを知覚する**固有受容覚，動作**を知覚する**運動感覚**，身体の**バランス**をとる**平衡感覚**などです。これらの内部感覚にはそれぞれ，**関連する脳の部分**へ情報提供することを**専門とする神経線維**が関与しています。

錯覚と共感覚

人間は**五感のどの種類でも錯覚**を体験する可能性があります。また，別の感覚**イメージが発生したり**，感覚を超えて**イメージが混ざり合ったりする共感覚**を体験する人もいます。

運動

動作は生命に不可欠なものであり，運動によって世界とのかかわり方が決まります。

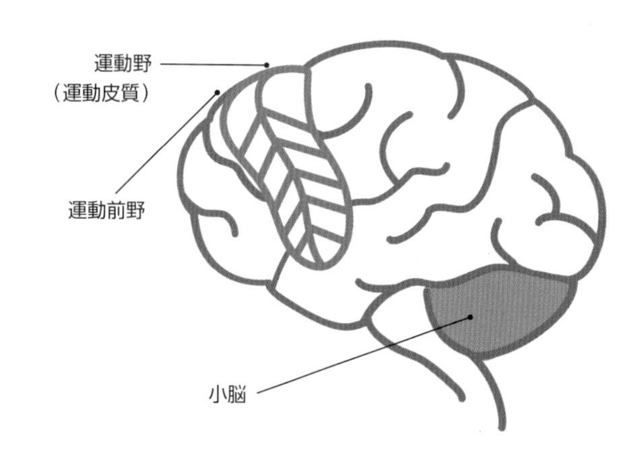

運動の起こるしくみ

意図的な運動は**脳の上部**にある**運動野（運動皮質）**が発現させます。**運動前野**が運動の計画を立て，運動野が**小脳**に**信号を送る**ことを通して，小脳とつながっている**筋肉**に運動を起こさせます。**身体の部分ごとにつかさどる**運動野の**領域が異なります。**

運動終板

自己意識に基づく**随意運動**においては，脳が筋肉に信号を送ります。**筋線維**の各束にある**運動終板**が，**遠心性ニューロン**の生成する特定の**化学物質**に反応します。これにより筋肉が**収縮しやすくなり**，運動が可能になります。**ニコチン**がこの領域にある受容体を部分的にブロックするために，喫煙者は不活発となり，くつろいだ気分となります。

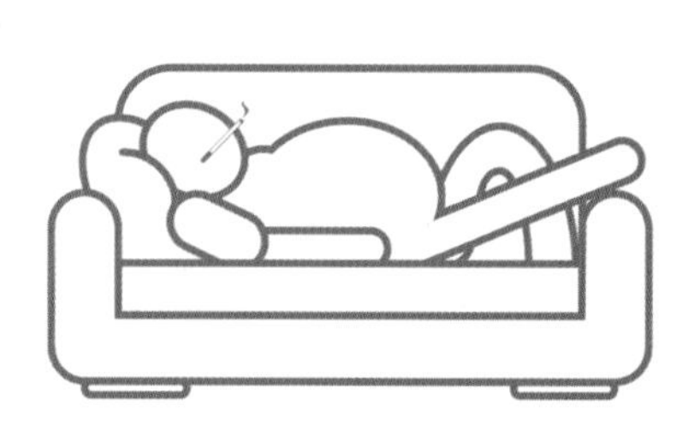

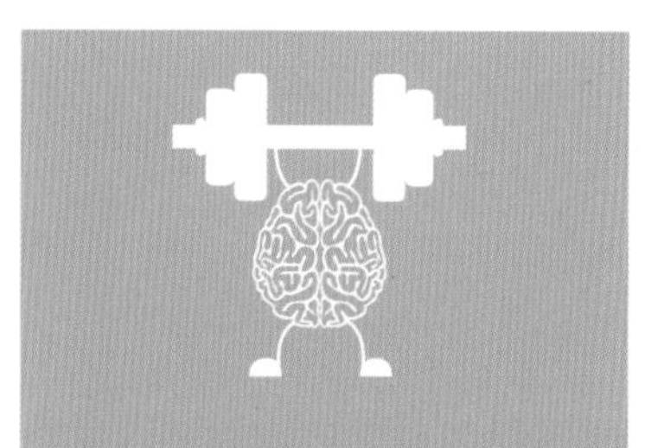

熟達した運動

小脳は**運動を調整し，熟達した行為のコントロールをします。技能が習得される**際には，練習の結果として**運動調節**が**運動野**から**小脳**へ**移行します**。こうしたわけで，**熟達する**につれて，ぎこちなかった**意識的行為**がほぼ**無意識でできる**円滑な**運動**に変わるのです。**音楽の演奏**は**正確に**，しかも**流れるように**行われるものなので，高度に熟達した行為が求められます。音楽家が**練習**に励まなくてはならないのはそのためです。

回復

脳卒中を起こしたり，脳に**損傷**を受けたりしたのちに，**新たな経路を使う**ように**運動野**の領域を**訓練する**ことは可能です。ただし，**継続的**な多くの**努力**を必要とします。

想起

**記憶は人間にとって特に重要な知的能力の一つです。
記憶によって自分や他人の経験を学ぶことができるのです。**

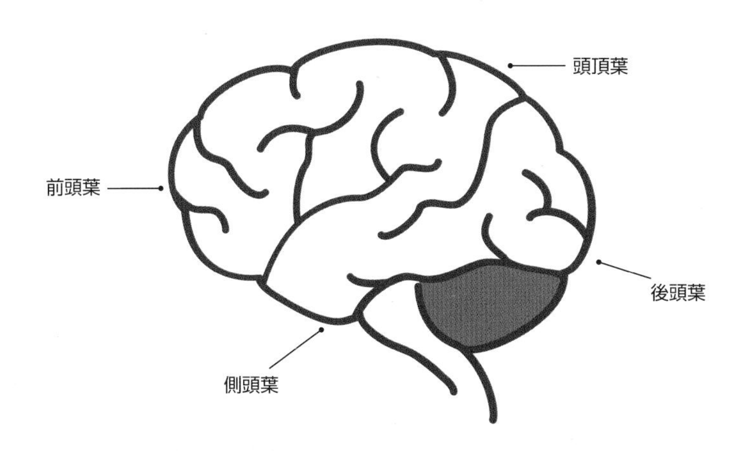

記憶には**いくつかの異なる種類**があり，それぞれに**脳のさまざまな領域**がかかわっています。記憶が**貯蔵されている**正確な場所は判明していませんが，**思考**時に用いる**ワーキングメモリー**（58ページ参照）には**大脳にある前頭葉**の活動が関与しているとわかっています。

エピソード記憶とは，**特定の出来事**や**経験**についての記憶のことです。それに対して，**意味記憶は物事のやり方**を覚えていることです。エピソード記憶と意味記憶を扱う脳の領域は**大脳底部**で**前頭葉**と**側頭葉**の間にしまい込まれています。**慣れ親しんだ物**や**場所**を**特定**しようとするときにこれらの領域が使われます。

海馬と呼ばれる脳の部位は**記憶の貯蔵**に不可欠なところです。情報を**文脈**（特に**物理的な文脈**）に当てはめます。これは**長期記憶貯蔵**のために重要です。イギリスの**ロンドンのタクシー運転手たち**の脳の走査（スキャン）研究によって，運転手たちがロンドンの通りについての「**知識**」を獲得するにつれて，海馬が**一段と発達した**ことが明らかになりました。

記憶の多くは**心象**を伴ないます。つまり，**感覚的経験の想像**が含まれるのです。この種の心象は**類似した現実の感覚的経験**が使う脳の部位と**同じ部位**を使うということが脳の走査研究から判明しています。

情 動

情動は人間の経験の強力な一部です。

情動の ジェームズ＝ランゲ説

アメリカの**ウィリアム・ジェームズ**は1890年に，**情動が強い身体的反応を引き起こす**ことを観察しました。ジェームズとデンマークの医師カール・ランゲがそれぞれ提示したのは，**身体の変化がまず起こり**，その変化を**知覚する**ことで**情動**が生じるという説でした。

キャノン＝バード説

ジェームズ＝ランゲ説とは対照的に，**情動に関するキャノン＝バード説**と呼ばれる学説があります。これは，身体と情動の各反応が**別々に起こる**と考えます。**情動を引き起こす刺激**には2種類の結果があり，一つは**身体的反応**，もう一つは**情動の感情**だとしています。

シャクターとシンガーの実験

1962年に**スタンレー・シャクター**と**ジェローム・シンガー**が情動の**身体的要因**と**社会的要因**を研究しました。実験では**アドレナリンを投与する**グループと**プラセボ（偽薬）**を投与するグループに参加者を二分し，さらに投与による**影響を教えられる**グループ，**偽の影響を教えられる**グループ，**何も教えられない**グループに分けました。各グループが部屋で待たされている間，**非常に楽しそうにふるまうサクラ**か**非常に怒っているふりをするサクラ**が同席します。

実験結果：

- **社会的要因**によって，**どちらかの情動を体験する**ように誘導されました。それはつまり，**楽しげなサクラ**と同席した参加者は**楽しく**感じ，**怒りを露わにするサクラ**と同席した参加者は**怒り**を体験したのです。
- **身体的状態**の**認知**が情動の**強さ**に影響しました。

偽の説明をされた参加者は**極度に怒ったり，極めて楽しくなったり**しました。**正確な説明を聞いた**参加者と**プラセボ**を投与された参加者は**比較的穏やかな情動**を体験しました。

脳で発生する情動

情動は基本的な身体状態にかかわりますが，脳の複数の特定の部位が関与することも脳スキャン（脳走査）によって明らかになっています。

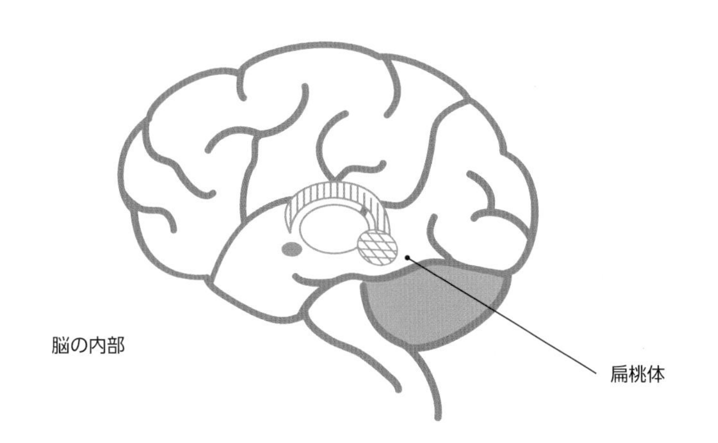

脳の領域の多くが情動にかかわっており，そのうちのいくつかは**比較的古く原始的な構造部**です。これらは脳の**外側からは見えません**が，**奥深いところに存在しています。**なかでも特に重要な部位として**扁桃体**があります。**幸福感，恐れ，怒り**を含む**実質的にすべての情動によって**扁桃体が**活性化します。**

満足感や**幸福**感も**活性化した**脳の**報酬系回路**で生まれます。脳には**脳構造部**同士をつなげる報酬系回路が多数あります。人間がどのような感情を抱くのかということについては本人の**アウェアネス（覚知***）と**理解**が肝要なので，報酬系回路のなかでも**眼球のすぐ後ろにある前脳**が**人間**にとって**特別に重要な**部分となります。

＊覚知：Awareness（外界や自己の状態の意識化）の訳語として使用。なお認知神経科学においてアウェアネスは気づきと訳され，対人援助の領域では自己理解と自己洞察を含めて自己覚知（self-awareness）と言い，アウェアネスに覚知を当てている。これに対し知覚は受容器を通して外界や自己の状態を知ることおよびその過程のことである

嫌悪感は脳の**特定の部分**に**強い反応**を引き起こします。また，**他人が嫌悪感を表す**のを見た場合にも，これらの脳構造部は活発になります。**ミラーリング**として知られているこの作用は，他人の**情動**や**行為**を目にしたとき，耳にしたときに**よく起こる神経反応**です。

幸福感のような**ポジティブな情動**は**左右の脳半球**の諸領域を刺激しますが，**右半球**のほうが**より盛んに活動します。**また，罪悪感や恥のような**社会的感情**も**前頭葉**や**扁桃体**をはじめとする多くの領域を活性化します。

覚醒

恐れや怒りなどの情動によって身体が「ハイパードライブ（動因の高まった衝動）」の状態になることがあります。

自律神経系（ANS）

身体には**自律神経系**を形成する**神経線維のネットワーク**があります。これらの神経線維は**筋肉**や**内臓器官**以外に，**血流**中に**ホルモン**を放出する**内分泌腺**ともつながっています。

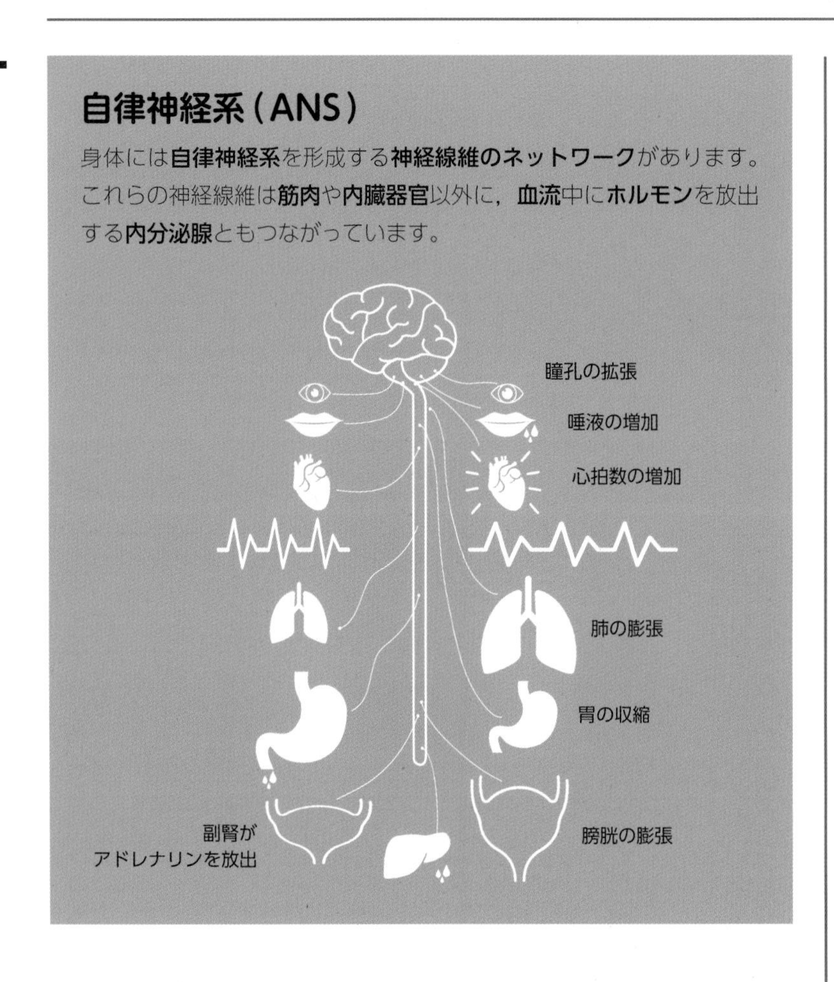

覚醒

人間は**気がかりな体験**や**不吉な考え**に見舞われると，**それほど極端ではない**としても，ある程度の**覚醒**を経験します。この反応は**測定**が可能なので，**うそ発見器**のもとになっています。**覚醒**が**長期**にわたって続くとストレスとなり，**身体と精神**のどちらの**健康**にも**悪影響を及ぼします**。

自律神経系の2系統

ANSは**二つの系統**に分かれています。一つは**穏やかに落ちついた**身体**状態**をつくる**副交感神経系**であり，もう一つは**身体を奮起させて行為に駆り立てる交感神経系**です。交感神経系は身体を活性化して**エネルギーを追加発生させる**ことによって激しい行動を起こさせます。**極度の怒り**を感じたり，**非常に恐ろしい目**に遭ったりしたときに，このような**強烈な覚醒**を体験します。**心臓の鼓動と呼吸**が**速くなり，よりすばやい反応**が可能になります。

覚醒状態

意識は人間ならではの特性であって動物にはないものだと思われがちです。しかし，動物自身の口からそう聞いたわけではないので，本当のところはわかりません。

意識にはさまざまな状態があります。**非常に用心深く注意を払っている**状態や，**のんびりと夢見心地でいる**状態，さらには，**一つのことに集中している**状態もあるのです。**意識のタイプによって異なる脳の活動パターン**が示されるため，意識状態は**脳波で測定する**ことができます。

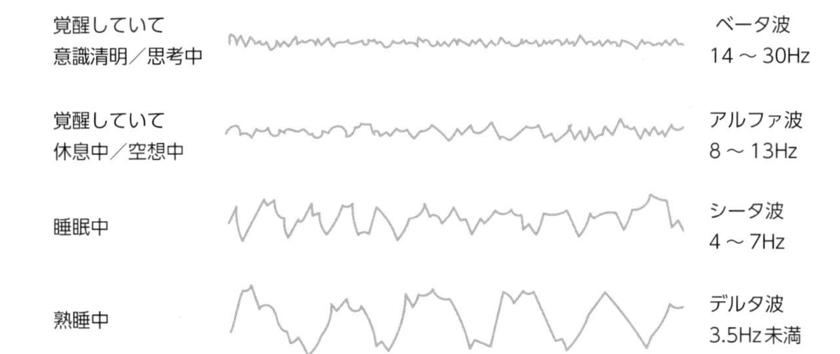

覚醒の度合いは1日の時間帯によって変わります。これには**概日リズム**（身体の**活力**と**覚醒状態**に影響する**24時間周期**）が関係しています。人間の**覚醒度**は（**昼下がり**に**わずかに低下する**ものの）**日中**に**最も高くなり，夜中から未明にかけて最低になります。交通事故**が最も多いのは，**居眠り運転**が多い未明にかけてのこの時間帯です。

長距離移動によって**概日リズムが乱れる**と**時差ぼけ**が起こります。時差ぼけした身体が**新しいタイムゾーン**に**順応する**まで**数日かかる**こともめずらしくありません。**交代勤務**では，**交代する時間帯を時間の進行方向へずらしていく**正循環のほうが**時間帯を逆方向へずらしていく**逆循環より身体が**順応しやすい**ので，最善策は正循環にすることです。

睡眠状態

私たちは人生のほとんどの時間を眠って過ごしています。

典型的な睡眠パターン

浅い眠りから**とても深い眠り**まで睡眠には**四つのレベル**があります。夜間睡眠では，初めに**四つのレベルのすべて**が**2，3回**繰り返されますが，**夜が深まるにつれて**睡眠が**浅くなっていく**のが典型的なパターンです。

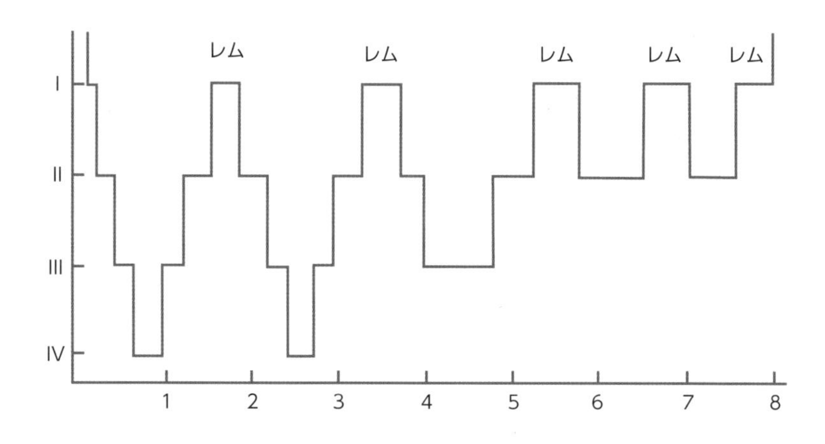

そのほかの睡眠パターン

不眠の人は**自分で認識している以上に**眠れていることがよくあるのですが，実際には**眠れないまま横になっているという夢を見ているのです**。ほかのかなり一般的な睡眠パターンとしては，**2，3時間深く眠ると目が覚め，再び，眠りに就くまで2時間ほど起きて活動する**というものがあります。

夢見睡眠

脳波上では浅い眠りを示していても，主要な周期の間には目覚めにくい状態になっているときがあります。眼球が急速運動をする，この睡眠状態をレム（急速眼球運動）睡眠といいます。

夢を見るのはこの睡眠状態のときです。

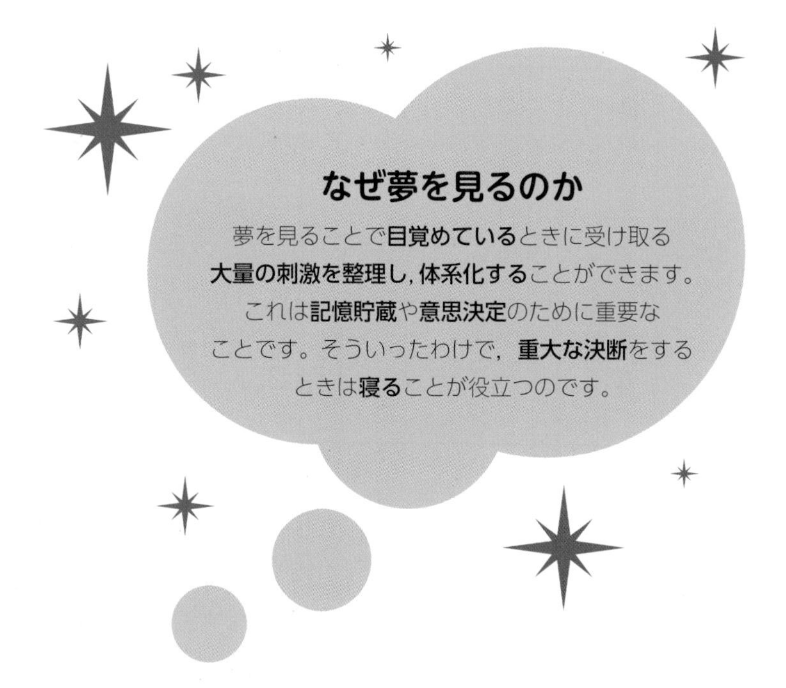

なぜ夢を見るのか

夢を見ることで**目覚めている**ときに受け取る**大量の刺激を整理し，体系化する**ことができます。これは**記憶貯蔵**や**意思決定**のために重要なことです。そういったわけで，**重大な決断**をするときは**寝る**ことが役立つのです。

学習

学習は単一の技能ではなく，さまざまな形態をとります。

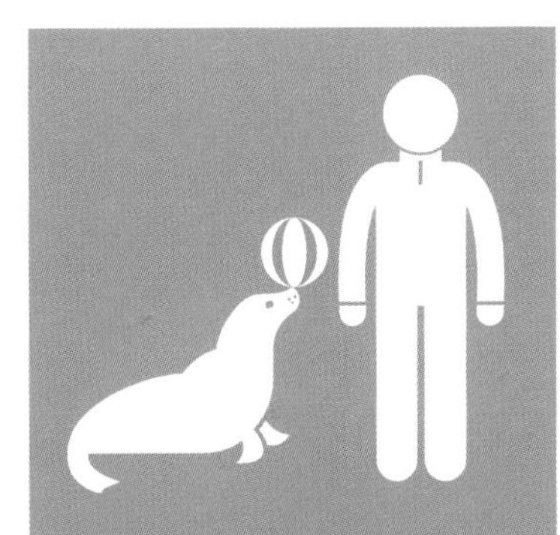

行動主義者は**学習を人間心理学の鍵**と考えていましたが，**その見解は限定的なものでした。学習とは単に刺激（S）と反応（R）を結びつけることだけで成り立っており，このことは人間**を含む**すべての動物で同じように起こる**と考えていました。しかし，このような観点からは**認知的学習**や**社会的学習**を**説明することはまったくできませんでした。**

20世紀後半から**心理学**では認知的学習や社会的学習が学習に**作用する過程**も研究されるようになり，人間の学習についてより精巧に**理解されるようになりました。**人間の学習には**S-R（刺激−反応）連合による学習**のような**基本的な過程**に加えて，**抽象的な認知**や**複雑な社会的学習**も含まれています。

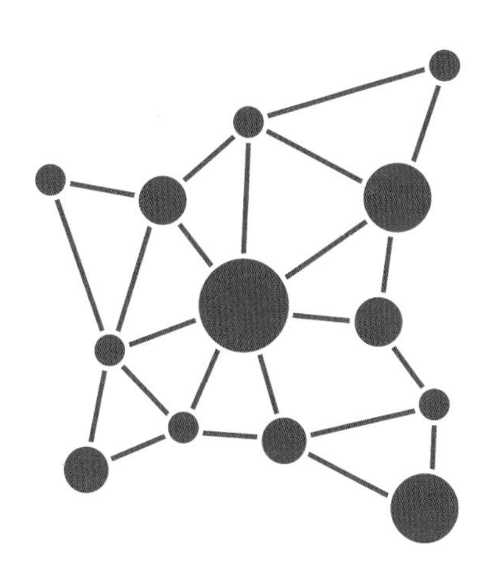

同じ脳細胞が頻繁に接合することによって学習が生じるという仮説が1949年に**ドナルド・ヘッブ**によって提案されました。**結果的に，接合はより広範囲に広がり，また強固になっていきます。**これによって，**細胞集成体**（**神経インパルスにとって，たどり慣れた回路**を形成する細胞の集まり）がつくられるのです。**脳スキャン（脳走査）**を使った最近の研究によって**ヘッブの考えは立証されました。**

学習は**脳の特定の領域に局在しているわけではありませんが，**人間の学習の**大半**は**大脳**皮質に支配されています。特に**イルカ**や**クジラ**や**ヒト**などの**「知能的な」動物**では，大脳皮質の**面積が大きく，皺（しわ）が多い**という特徴があります。

古典的条件づけ

古典的条件づけは刺激を反応に結びつける学習の一形態です。
原始的な動物でも，このようなタイプの基本的な学習をすることがわかっています。

学習過程

条件づけは**反応**を自動的に引き起こす**刺激**から始まります。**パブロフの犬**の実験（18ページ参照）では，初めに犬たちが**餌**の刺激によって**よだれを垂らす**ことが観察されました。この刺激（餌）と反応（唾液の分泌）は，**条件づけられたものではありません**（無条件反応）。つまり，**学習されたものではない**ということ。条件づけの過程では**新しい刺激**（**ベルの音**）が**無条件刺激**と**対にされます**。**学習試行が**何度か**繰り返される**とベルは**条件づけられた**（**学習された**）**刺激**になり，**餌なしでも**反応が起こるようになりました。

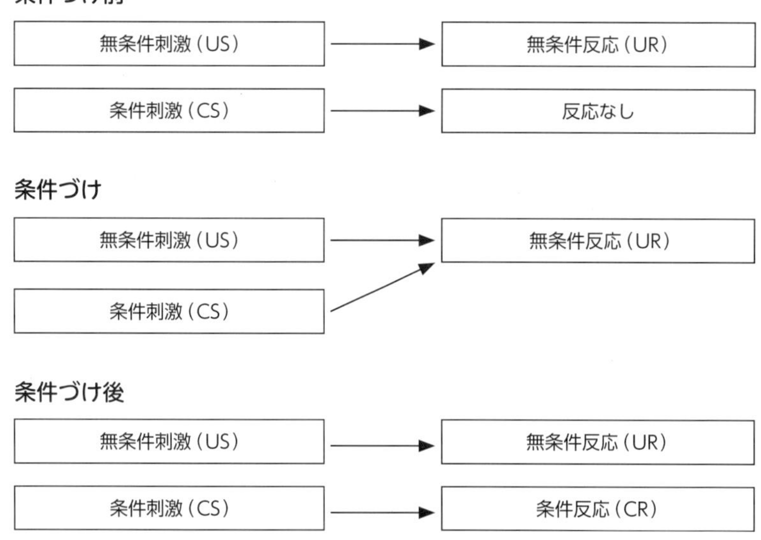

消去

条件刺激が**無条件刺激**と対にされることなく，**何度も指示されると**条件反応は**なくなります。**これを**消去**と言います。ところが，条件反応が**消失した**ように見えても**あるとき回復する**こともあるのです。これは**自発的回復**と呼ばれています。

人間の反射の条件づけ

ラーダリック・メンジーズの1937年の研究で，**無意識的な人間の反射**でさえ**条件づけが可能**であることが明らかにされました。この実験では，参加者たちに**バケツに入った氷水**のなかに**両手を入れてもらい**，そのたびに**ブザーを鳴らす**ということをしました。冷却によって**血管が収縮する**ので，手が**青白く**なります。これを何度か繰り返し試行すると，手を氷水に浸けなくてもブザーが**鳴るだけで血管収縮が起こる**ことが確認されました。

アルバート坊や

ジョン・ワトソンは，人間の学習も含め，すべての学習はS–R（刺激ー反応）連合によって成り立つと主張しました。

実験の出発点

生後11カ月の乳児**アルバート**は**おっとりと落ち着いた気質**で，すぐに驚いたり怖がったりしない子どもでした。**ジョン・ワトソン**と助手の**ロザリー・レイナー**は**古典的条件づけ**を探究するためにアルバートを対象としたある**実験**を行いました。

経過

じきにアルバートはその白ネズミを一目見ただけで**泣きながらハイハイして逃げようとする**ようになりました。さらに，その白ネズミ以外にも原綿，白ウサギ，毛皮のコートなどの**ふわふわしたものを何でも怖がるようになったのです**。ワトソンはこれを**人間の反射（この場合は恐れ）の条件づけが可能である**ことの証拠だと主張しました。

実験

ペット用の白ネズミを目の前に置かれたアルバートは白ネズミを**なでようとして**手を伸ばしました。アルバートの手が白ネズミの**ふわふわした毛**に触れた瞬間にワトソンたちはアルバートの頭のすぐ後ろで**鉄の棒を叩いて大きな音**を立てるということをしました。するとアルバートは**驚いて**前に倒れました。アルバートが二度目に手を伸ばして白ネズミに触れたとき，ワトソンたちは再び，鉄の棒を叩きます。アルバートは**また倒れて，すすり泣き**を始めました。1週間後にまた白ネズミを見せると，アルバートは恐る恐るとではあるものの，手を伸ばして触りました。そのため，実験は続けられましたが，2カ月後にアルバートの母親がやめさせました。

倫理的問題

現在では，このような実験が**容認されることは決してないでしょう。**そのことに感謝します。この実験は**研究の**ほぼ**すべての倫理的指針**に反するものです。

効果の法則

行為の結果によって，異なるタイプの条件づけが起きます。

効果の法則

1911年に**エドワード・ソーンダイク**が，**「効果の法則」**と自ら名づけた原則を提唱しました。**行為が快い結果をもたらすほど，その行為は繰り返される傾向が強まり，不快な結果をもたらす**ほど，**繰り返されなくなる**という説です。効果の法則は**学習の生じ方の基本的法則**を表すものでした。

ソーンダイクの問題箱

その一例として，ソーンダイクは**猫を仕掛けのある箱に入れる**実験をしています。箱の内部にはひもが吊り下げられており，閉じ込められた**猫はこのひもを引っ張ることでしか逃げられない**仕掛けにしてありました。猫が**外へ出ようとして**箱のなかで動き回っているうちに遅かれ早かれ**ひもを引いてしまい**，扉が開きます。この実験で猫が箱に入れられるたびに**逃げ出すまでの時間が短くなる**ことが確認されました。

オペラント条件づけ

バラス・スキナー（1904～1990）は効果の法則をさらに詳しく検証するために，**オペラント条件づけ**を研究しました。**オペラントとは環境に働きかける行動**のことであり，**行動をするすべての動物**によく見られるものです。オペラントのなかには**毎回同じ結果をもたらす**ものがありますが，そのようなオペラントは一貫した結果によって**強化され**（強められ），やがて**学習された反応**になります。それ以外のオペラントは**結果につながらない，単なる一貫性のない行為**に過ぎません。

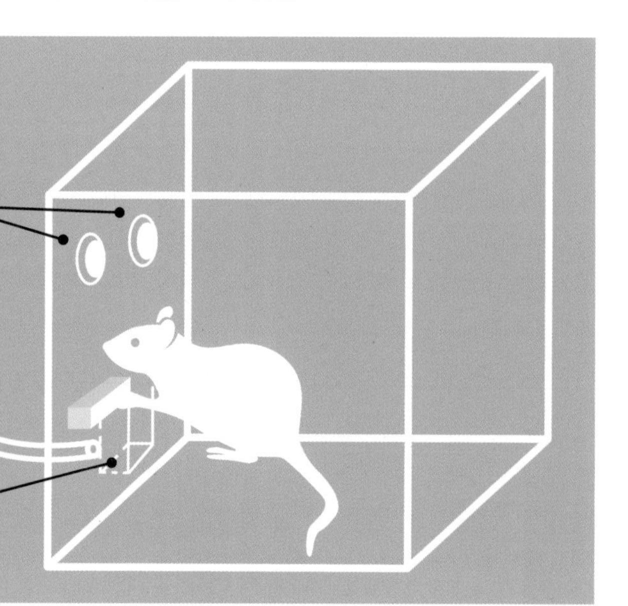

強化

条件づけによる学習はさまざまな方法で強めることができます。これを強化といいます。

正の強化・負の強化

行為を細かく適切に強化していくことによって目的の行動を訓練することができます。**正の強化**は，そのような行為が**快感を得るという報酬に直接つながっている**ときに起きるのです。

負の強化は，特定の行為が不快な経験を中断させたり，防いだりするときに起きます。これは，**行為が不快な結果の原因になる罰**とは異なるものです。

罰

罰は訓練の方法としては効果的ではないとスキナーは断じていました。**誤った反応のなかには罰によって抑制されるものもある**かもしれませんが，代わりに**ほかの望ましくない行為**が発生する可能性があります。

用語

行動形成（シェイピング）‥‥連続的に強化することによって行為の小さな変化を積み上げ，複雑な行動に発展させること。

- **変動強化**‥‥毎回ではなく，たまにだけ行為が強化されると，学習効果が最も高くなります。
- **弁別刺激**‥‥行為が強化されることになる信号やサインのことです。
- **一般化**‥‥学習したときの状態と類似しているだけで，そのときと同じ状況ではない場合でも，学習された反応が起きることがあります。

有用性

古典的条件づけとオペラント条件づけのどちらも，**人間の極めて特定のタイプの行動**を変容させるのに利用できます。どちらも**自閉症児の学習**を補助するために使われてきました。ほかにも**アルファベット文字**のような基礎知識を幼児に教えたり，**恐怖症**の克服を助けたりする場で利用されています。

3 学習

一試行学習

学習のなかには，即座に学習が成り立つほどに強力なものがあります。

一回限りの試行

一試行学習は，即座に成立する条件づけの一形態です。最もはっきりとしたわかりやすい例として，**食べもの**や**痛み**に関するものがあります。たとえば，人間は**何かの食べもので吐き気がした**ことがあると，それからはその食べものを**避ける**ようになりがちです。また，手をやけどしたら，そのとき触れたものにまた触れることを躊躇（ちゅうちょ）するようになります。

準備された学習

一試行学習は準備された**学習**の一例ですが，このような学習は生存に直接役立つものです。たとえば，吐き気を催す食べものには**毒があることがよくある**ので，以後避けようと**考えるのは有益でしょう**。痛みの原因となるものを回避することも**生存の可能性を高めます**。

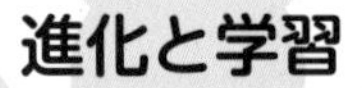

進化と学習

準備された学習からわかるのは，**進化によって学習が形成されうる**ということです。さまざまな種が，**生存に役立つ行動**を学習するための準備が整った状態で生きています。例を挙げると，**ハナバチはすぐに花の香りを餌と結びつける**ことができますが，ほかのにおいについては学習するのにもっと時間がかかるのです。

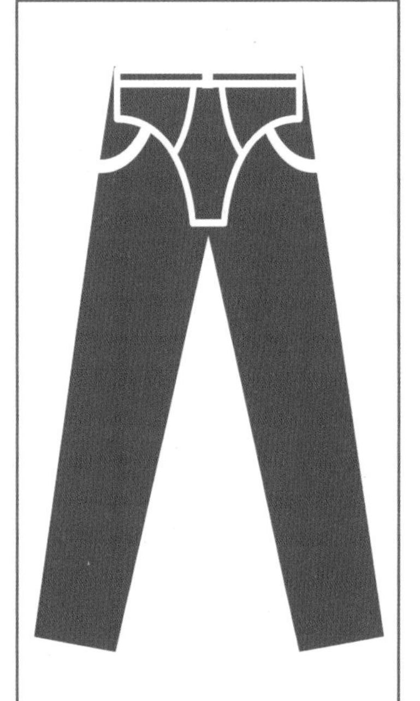

迷信

迷信は一試行学習から生まれることがよくあります。特定の行為（たとえば，縁起のよいパンツの着用）が**インパクトのある成果と結びつけられた**ときに迷信が生じ，成果を得たいときに用いたりするのです。**動物でさえも迷信的な行動をする**ことをスキナーがハトを使った実験で証明しています。たまたま羽づくろいをした直後に餌を出されたハトが，餌が欲しくなるたびに羽づくろいするようになったことが観察されました。その都度，餌が出たわけではないのに，ハトはこの行動を繰り返しました。

刻印づけ

刻印づけもまた生存に役立つ準備された学習の一つです。

ローレンツの研究

カモやガチョウの雛(ひな)は，**孵化(ふか)後まもなく**母鳥を追いかけるようになります。この習性を見たことがあった**コンラート・ローレンツ**は，ガチョウの雛たちが孵化するときに自分がその場にいれば，雛たちが**まるで母鳥を追うように自分を追うようになる**ということを発見しました。このような即座に形成される学習の形態を**刻印づけ（刷り込み）**と言います。

ほかの研究者たちも刻印づけについて調べ，以下のことを見い出しました。

- **早成性の動物**で生じる。早成性の動物とは生まれてすぐに**動き回れる**動物のこと。
- **生存価があり**，雛鳥や子馬などを親からはぐれないようにさせる効果がある。
- **カモやニワトリの雛が必死にならないと**母鳥についていけないようであれば，**刻印づけされた結びつきはより強くなる。**
- 孵化前の雛が**卵のなかで聞いていた音を出す存在**に孵化後に出合うと，その存在が**刻印づけされやすい。**

かつては人間を含むすべての親子の愛着が刻印づけを通して形成されると考えられ，この考えに**基づいて少年非行などの社会問題が説明される**ことがありました。

しかし，1960年代以降の研究によって，**人間にとっては社会的交互作用が重要である**ことや人間の幼児の場合は愛着が**段々と形成される**ことが明らかになりました。

認知行動主義

単純な条件づけでは，すべての学習について説明することは不可能だということが徐々に明白になっていきました。動物においてさえ，認知が学習に関与することがあるのです。

条件づけだけでは不十分

動物の学習は単なる条件づけ以上のものであるという説が1932年に**エドワード・トールマンによって唱えられました。**トールマンの実験では，まず，ネズミに**報酬を与えずに自由に**迷路を探索させました。ネズミは最終的には迷路のゴールにたどり着くのですが，到達時間が短くなることはありません。しかし，ゴールに**少量の餌を置くという報酬**を導入したところ，その迷路を探索したことのあるネズミは**初めて探索するネズミよりはるかに早く**ゴールに到着したのです。

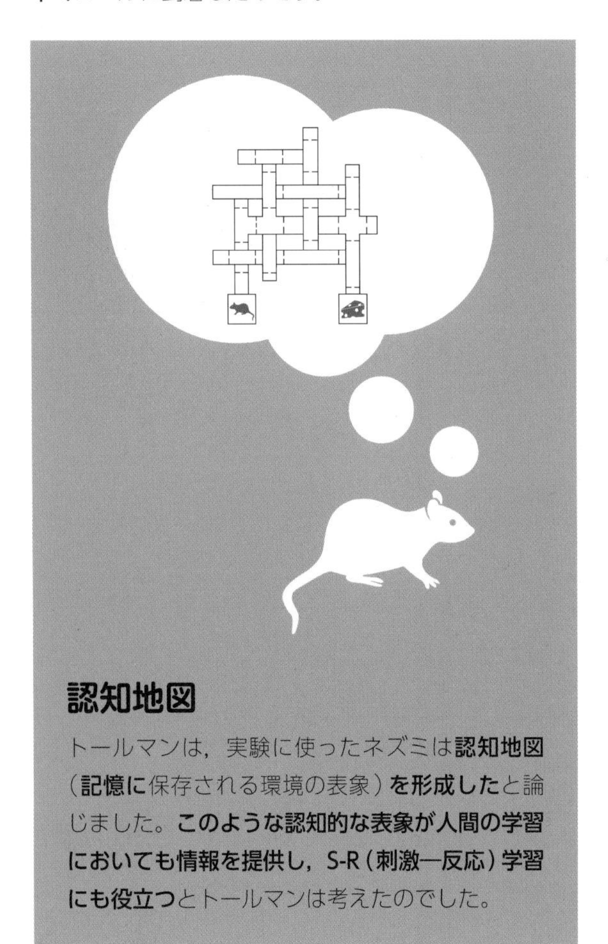

認知地図

トールマンは，実験に使ったネズミは**認知地図**（**記憶に**保存される環境の表象）**を形成した**と論じました。**このような認知的な表象が人間の学習においても情報を提供し，S-R（刺激ー反応）学習にも役立つ**とトールマンは考えたのでした。

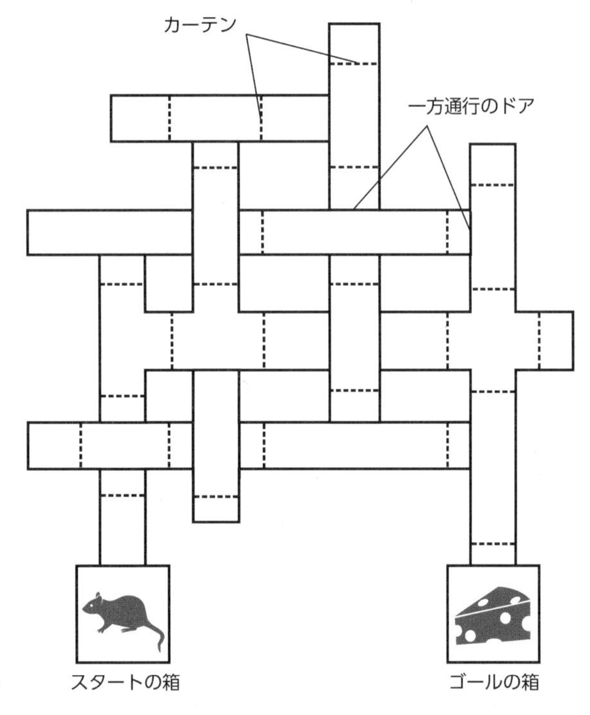

学習セット（学習の構え）

ハリー・ハーロウは1949年になって，**条件づけによって認知的な学習も説明できる**ということを発表しました。サルに一連の問題を解決させる実験で，**条件づけの試行を重ねていくうちにサルたちが経験を徐々に蓄積していき**，ついには似た問題を非常にすばやく解くようになることが観察されました。サルは**学習セット**を形成していたと言えます。すなわち，**基本的条件づけ**を行うだけで類似した問題を解く学習セットを形成してしまっていたのです。

動物と人間の学習

動物と人間の学習のどちらも行動主義者の想像を上回る複雑なものでした。

動物実験

行動主義者たちは，**あらゆる学習が基本的条件づけによって成り立っている**ので，**動物の学習は基本的に人間の学習と同じ**だと考えていました。そのため，**学習についての膨大な数の動物実験が行われてきました。このような動物実験の価値が疑われるようになった**のは，1970年代頃から20世紀末までの間のことです。

倫理的問題

その30年間に，人間と動物のどちらにおいても**研究倫理についての関心が高まり**，動物実験に関する厳しい指針が策定されました。この指針により，**動物の飼育とその環境に配慮することが義務づけられ，不必要な苦痛**を与えることが禁じられました。1990年代までに心理学の研究において動物実験が**重要性を失い**，実施されることも減少しました。

心理学者たちはほかにも多くの学習タイプに取り組んできました。例としては，**抽象的学習や模倣，また人間が適切な社会的行動を学習するそのほかの方法**があります。人間には動物と共通する学習形態もいくつかありますが，**必ずしも動物と同じではない**学習タイプももち合せているのです。

また，**多くの動物たちが**大半の人々が**今まで考えていたよりもはるかに複雑な学習を習得できる**ことが，ごく最近の研究で明らかになっています。ただし，ペットを飼ったことのある人たちにとっては，これは意外ではなかったかもしれません。

社会的学習

人間は基本的には社会的存在であり，他者から学習する強い傾向をもっています。

模倣

模倣は**意識を介さずに**行われるものですが，**社会的学習において重要な役割**を担っています。乳児でさえも世話をしてくれる人の顔の表情を模倣します。**ほかの人たちの行動を手本に模倣をすることは，私たちが不慣れな場で物事を対処しようとするときに用いる主な方法の一つなのです。**

モデリング

私たちは，自分が**尊敬する人**や**ほかの人たちに比べて優れている**ところがあると信じている人を**模倣する傾向があります。**これが，正の役割モデルが**重要である**理由です。**パラリンピック**のようなイベントは，身体に障害のある人たちに対する意識が社会全体で変わることを促すだけでなく，**障害のある人たちにとって正の役割モデル**を提供し続けています。

ボボ人形実験

1963年に**アルバート・バンデューラ**は，**行動で表さなくても認知的な学習が成立することを示しました。バンデューラ**は，空気で膨らませた大きな起き上がりこぼしの**「ボボ人形」**に対して大人が攻撃的にふるまう映像を子どもたちに見せました。子どもたちが即座に攻撃的な行為を模倣することはありませんでしたが，のちに**攻撃的にふるまえば報酬が与えられることを知ると，映像で見た行為と同じことを始めました。**バンデューラの研究は非常に多くの研究によって裏づけられています。このような研究からわかるのは，**テレビなどのメディアの暴力的映像**が，すべての視聴者に等しく影響するわけではないにしても，**社会における暴力を助長する**という事実です。

技能学習

仕事や趣味やスポーツを通して，私たちは絶えず新しい技能を学習しています。

熟練行為の制御

新しい技能を初めて**習得**しようとする際に，私たちは**自分の行為に対して極めて意識的**になるものです。動作を制御しているのは脳の最上部にある**運動野（運動皮質）**なのですが，練習をするとその動作が**自動化**し，動作を制御する領域が脳の後部にある**小脳**に移ります。こうすることで，**考えなくてもスムーズに**その行為を行うことができるようになるのです。

メンタル・プラクティス（心的リハーサル）

心のなかで行う練習も**技能の習得**に役立ちます。その技能を存分に発揮していることをイメージすると脳がその**学習を固定化**しやすくなるのです。実際の練習の代わりにはなりませんが，助けにはなります。

固定化

技能を習得する過程では**プラトー**がたびたび発生します。プラトーとは**練習してもまったく向上しているように思えない**時期のことです。これは習得した技能を**固定化**するための重要な期間なのです。何も上達していないように思えるかもしれませんが，この期間に行う練習は技能が**より深く根づいて自動化すること**を促しています。

一流の技能

一流のスポーツ選手に研究に協力しもらうことで，心理学者は技能習得について多くのことを学んできました。研究で得られた洞察には，選手たちだけでなく，**一般の人たちにも適用できる**ものが数多くあります。たとえば，**一定の間隔を空けて練習をしたほうが長時間連続して練習するより効果的である**ことがわかっています。

スキーマの発達

学習の重要な部分がスキーマの発達にかかわっています。

スキーマ

学習したことは組織化されて，**スキーマと呼ばれる心的構造となります**。スキーマは私たちが能動的に外界に対処しようとするときに役立つものです。取るべき**適切な行為についての知識も含んでいる点**で，**スキーマは概念より豊か**です。スキーマは経験を通して発達します。**新しい情報が既存のスキーマに組み込まれることによって理解が広がります**。

同化と調節

新しい情報が単にスキーマに同化されるだけの場合もあれば，新しい情報を**収容するために**スキーマを**拡張**しなければならない場合もあります。その場合は，**もとは一つだったスキーマが二つ以上の異なるスキーマに分割される**ということがしばしば起こるのです。たとえば，幼い子どもが「毛並みがふわふわしたもの」のスキーマを形成したとしても，幼い経験を通してだと，このスキーマは「ふわふわした毛並みの生きもの」と「ぬいぐるみ」の二つに分けられることになるかもしれません。

スキーマのタイプ

何に対処する必要があるのかによって，使われるスキーマのタイプが異なります。

- **事象スキーマ**‥‥特定の出来事の進行中にどのようなことが起こるはずだということや，どういった行いがなされるはずだということに関するスキーマ（例：誕生日パーティー）
- **役割スキーマ**‥‥人が特定の社会的役割をどのように果たすべきであるかということに関するスキーマ（例：警察官）
- **人物スキーマ**‥‥特定の集団や個人についての知識，予測に関するスキーマ
- **自己スキーマ**‥‥自身についての知識や評価に関するスキーマ

自己効力感とマインドセット

自身の行いをコントロールできると信じることで学習や生活がしやすくなります。

自己効力感

自己効力感とは，**自分は成果を出す行動をとることができる**という信念です。自己効力感の高い人は**自分なら達成できるという信念をもっている**ので，**必要に応じて努力をします**。自己効力感がそれほど高くない人は**努力しても無駄だ**という信念があるため，**状況が困難になるとあきらめてしまいがち**です。**教育的成果を出す**ためには，**自己効力感による信念が能力よりも重要である**ということが研究によって明らかにされています。

ゲームと有効性

コンピューター・ゲームの設計には**自己効力感と誘因**という心理学の原理が応用されています。**長い目で見れば，忍耐がよい結果を生む**とプレーヤーに印象づける設計になっているのです。これはゲームの好ましい影響と考えることも可能です。**コンピューター・ゲームが子どもたちにとって，ほかの受け身の活動より有害であるという証拠はほとんどありません**。とはいえ，反社会的な内容のゲームが**反社会的な行為**を助長するということは確認されています。

マインドセット

自己効力感の信念は**マインドセット**と関連しています。マインドセットとは，生きることについての全般的な方向づけのことです。**成長マインドセット**をもっている人たちは，自分で決めたように生きていると感じているため，**学び**，**向上する**ことができると信じています。対して，**硬直マインドセット**をもっている人たちは，自分の能力は**固着*****し**，**コントロールできない**と思い込んでいます。成長マインドセットは個人的成功を叶える重要な鍵です。**取り組みやすい小さな目標**を一つずつ達成することで成長マインドセットの形成を促すことができます。

＊固着：一つの概念などに固定し，強迫的にとらわれること。精神分析の概念の一つでもあり，この場合は特定の発達段階にリビドー（80ページ参照）が留まることを言う

認知心理学

認知とは思考，知覚，記憶などの心的活動のことです。

心的活動

認知心理学は，**人間の心的活動の根底にある過程**に関する学問です。認知心理学者は「**人間はどのように物事を記憶しているのか**」「**知覚はどのように作用するのか**」「**どのような要因が決断の下し方に影響を与える可能性が最も高いのか**」といった問題に取り組んできました。

認知革命

心理学では当初から心的過程が研究されていましたが，**行動主義者による批判**（そのような研究は**非科学的**であり，**学習のほうが重要である**という主張）が**20世紀中頃**には支配的でした。しかし，**20世紀後半**には心理学は「**認知革命**」と呼ばれる運動の波に洗われ，**精神の研究や心的過程がどのように作用するのか**ということに関する研究を再び行うようになりました。

実験室での研究

初期の心理学者と異なり，**近年の認知心理学者**は**内観**ではなく，**厳密な実験法**を採用しました。その方法を使って，**記憶**，**知覚**，**問題解決**，**意思決定**などのテーマが調べられました。

情報処理

コンピューターの発展により，**情報処理**への関心が大きく高まりました。**人間もコンピューターと**ほぼ**同じ方法で情報を処理する**のだろうと最初は考えられていたのですが，研究をしてみると，人間は**非常に異なるやり方で思考する**ことがわかりました。人間はコンピューターとは違って，**期待**，さらには**社会的要因**に**強く影響**されます。

記憶

記憶は心理学が誕生した当初に研究されていたテーマの一つであり，そのような早期の研究で得られた洞察の多くが現在も有効とされています。

エビングハウス

ヘルマン・エビングハウスが1885年に出版した**記憶**をテーマとする著書には，一連の研究によって明らかになった**記憶の仕組み**のさまざまな原理が説明されています。エビングハウスは**何度も自ら被験者**となって，**無意味つづり**（ZUDやGEKのような**3文字のつづり**）の**リストを記憶する**のに**かかった時間**を計る実験や**一度に想起できるつづりの数**を調べる実験などを繰り返し行いました。

暗記

なかでも**エビングハウス**が見い出したのは，**リストの最初と最後の項目**が**ほかの項目に比べて思い出しやすい**ということでした。このことは**初頭効果**と**新近性効果**として知られています。また，記銘をする（情報を覚え込む）際は**間隔を空けて**記憶したほうが，**合計時間**が同じでも一度にかける**時間を長くして**記憶するより**効果的**だということも発見しました。身体**技能**を練習する場合でも**同様であることが判明しています。**

忘却

想起には**四つの主要なタイプ**があることがエビングハウスによって確認されています。

- **再生**････**手掛かり**を使わずに思い出すこと。
- **再認**････以前に憶えたことや物，またリストが**再度現れた**ときに思い出すこと。
- **再統合**････エビングハウスは**リストを実際には憶えていなくとも，以前と同じ順序に並べ替える**ことができる場合があった。
- **再学習の節約**････エビングハウスはリストを**すっかり忘れてしまっても，まったく新しいリスト**を憶えるのに比べて**より短時間で，同じリストを再び憶える**ことができた。

フロイトをはじめとする精神分析学者たちによる洞察を考慮すると，今日では**動機づけられた忘却**も上記のこの想起の四つのタイプに加えるのが有効だろうとされています。ちなみに，**動機づけられた**忘却とは，**再生するのが苦痛であり，情動がかき立てられるために，情報が忘れられてしまうこと**です。

記憶の表象

個々の記憶は感覚イメージや象徴，あるいは言語を通して脳内に表象されます。

記憶の符号化

人間の**どの感覚器官でも**情報を**符号化**することが可能であり，これが記憶になります。**懐かしいにおい**を嗅いだり，以前よく行っていた場所を目にしたりすると，**大量の記憶がどっと押し寄せてくる**ことがあります。何らかの**歌**や録音された音声を聴いて，**それを初めて聴いたとき**に記憶が連れ戻された気がしたという体験はだれしも憶えのあることでしょう。**感覚的情報は再生のための手掛かり**となり得るのです。

文脈

記憶の**文脈**も重要です。**特定の記憶**を**引き出す**方法として，**自分のいた場所**を思い出すというものがあります。**場所**の記憶が**詳細であればあるほど**，捜している**情報を再生しやすくなる**のです。また，**内的文脈**も助けになります。**情報を学習したとき**と**同じ状態**（例：**情動的**な状態や**空腹**の状態）になると**より再生しやすくなる**という傾向があり，これを**記憶の状態依存**と言います。

表象の様式

乳児は**動作の記憶**を通して物事を**身体的に**思い出します。これは**動作的表象**です。発達の次の段階では**視覚的記憶**が優位になります。たとえば，**絵本**を見るときに**いろいろな動作**をする必要はありませんが，**さまざまな視覚的イメージ**がかかわっています。これは**映像的表象**になります。さらに成長すると**象徴的表象**が加わり，子どもは**記憶を貯蔵する**ために**言葉やそのほかの象徴**を使うようになります。**大人**はこれらの**表象様式**をすべて駆使して，**記憶に貯蔵**できる**範囲を広げている**のです。

記憶の体制化

より強力に情報処理を行うことで記憶力を向上させることができます。

2 A 1 C 3

マジカルナンバー・セブン

1956年に**ジョージ・ミラー**が「**マジカルナンバー・セブン，7±2**」といった説を発表しました。人間が一度に記憶として保持できる**情報は，通常，7項目まで**（**±2の変動**あり）というものです。より多くの項目を憶えているためには**情報**を「**チャンク（意味のまとまり）に分ける**」必要があります。たとえば，1-9-1-4-1-9-1-8-1-9-3-9-1-9-4-5といった**羅列は再生するのが難しい**のですが，**世界大戦の開戦と終戦の年**を表す数字のチャンク－1914－1918－1939－1945－に分割することで**格段に再生しやすくなります**。

記憶術

記憶術では，**脳**が**情報を捜し出す**ための**手掛かり**を与えます。**虹の七色**を思い出す記憶術として有名なのが「**R**ichard **O**f **Y**ork **G**ave **B**attle **I**n **V**ain」（ヨーク家のリチャードは挑んだ戦闘で虚しく散った*）です。各単語の頭文字が虹の**色**の頭文字（**R**ed［赤］，**O**range［橙］，**Y**ellow［黄］，**G**reen［緑］，**B**lue［青］，**I**ndigo［藍］，**V**iolet［紫］）と**同じ**順に並んでいます。こういった方法で**元の情報を記憶して**しまえば，**文章**以外にイメージや**音もれっきとした記憶術**として使うことができるのです。

＊ヨーク家のリチャードは挑んだ戦闘で虚しく散った：15世紀イングランド王国の第3代ヨーク公リチャード・プランタジネット，またはその息子のヨーク朝国王リチャード3世が王位継承をめぐる戦闘で戦死したことに由来すると言われている。

処理

情報の処理過程が多いほど，**想起**しやすくなります。ある研究では，参加者に**単語**を提示し，各単語について**質問**するという実験が行われました。一つめのグループには文字の**形態**（例：**大文字**）について，二つめのグループには**音**（例：**韻**）について，三つめのグループには**意味**について質問をしました。最後に再生テストをしたところ，**三つめのグループが最も記憶がよく，一つめのグループが最も記憶が悪い**という結果になったのです。これは心的処理の多寡（たか）を反映しています。

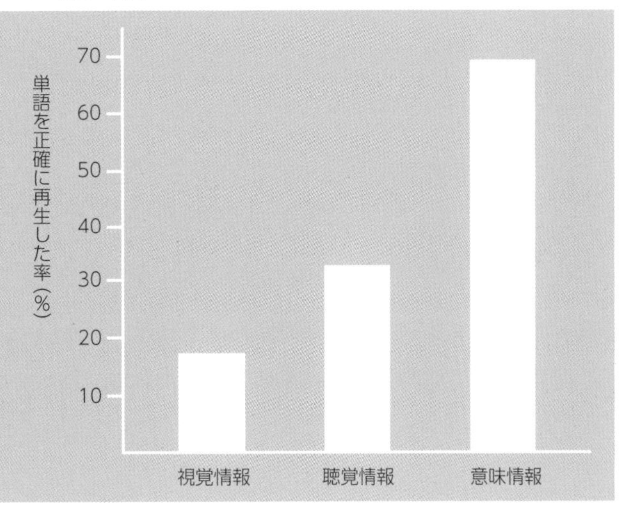

記憶のモデル

記憶のモデルにはさまざまなものがあります。

二重貯蔵モデル

初期に提唱された**記憶のモデル**の一つに**2種類**の記憶を想定するものがありました。一つは**長期にわたって情報を貯蔵する長期記憶(LTM)**，もう一つは**情報を使用している間しか憶えていない短期記憶(STM)**です。情報を何度も**反復**(主に頭のなかで**復唱**)する**リハーサル**によって，情報は**STM**から**LTM**に**転送される**と考えられていたのです。のちにこのモデルは**単純すぎる**とみなされるようになりました。情報によっては**直接LTMに入る**ものもあり，**処理**が**反復**より**重要**だからです。

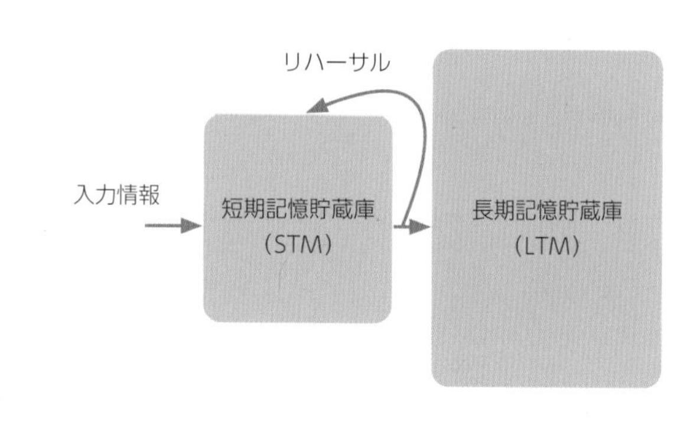

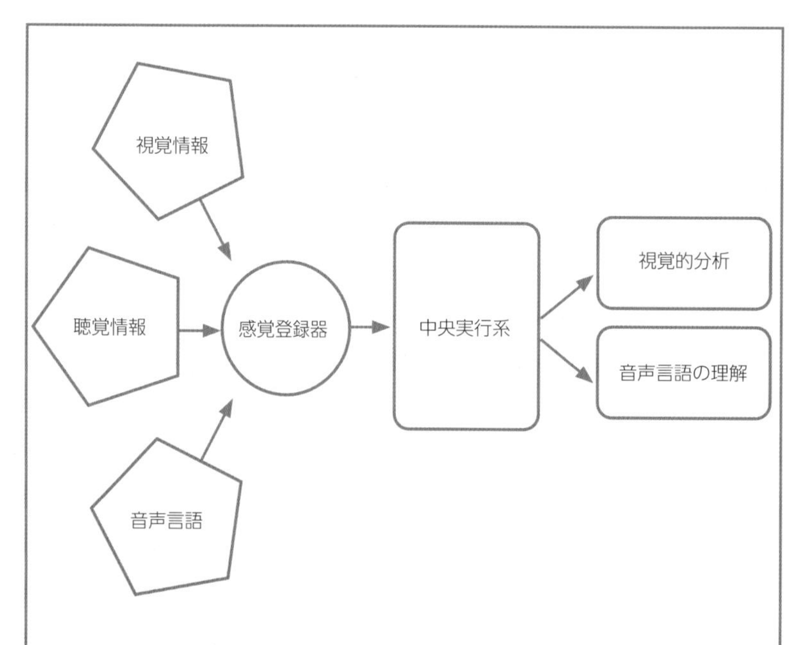

ワーキングメモリー

1974年に**ワーキングメモリーのモデル**が**バドリー**と**ヒッチ**によって提言されました。このモデルは，**即時情報**が**目的に合うものであるかどうか**の**関連性**を**中央実行系**が決めるというものです。情報は**視覚**，**聴覚**，**音声言語**，**リハーサル**などの**いくつかの経路**を通って受容され，これを**受け取った**中央実行系が**発話**や**行為**として**出力する**という仕組みです。

そのほかの種類の記憶

ほかにも多くの種類の記憶があることが確認されています。

- **エピソード記憶**‥‥**特定の出来事**や**個人的体験**の記憶
- **意味記憶**‥‥**物事のやり方**についての記憶
- **自伝的記憶**‥‥**自分の過去の経験**に関する記憶
- **フラッシュバルブ記憶**‥‥**劇的な出来事について聞いたり，その場に立ち合ったりした**ときの**状況**が**鮮明に**よみがえる**記憶**
- **展望的記憶**‥‥**未来に行う必要のあること**を憶えていること　例：**予約**や**約束**を忘れないでいること

活性化記憶

**記憶は受動的なものではありません。
人間は自分がすでにもっている知識に合うように記憶を調整します。**

情報の調整

記憶についての**初期の研究**では，記憶は**経験した事実の記録**（結局どのように感じるかということ）だと考えられていました。しかし，1932年に**フレデリック・バートレット**が記憶は**能動的な過程**であることを明らかにしました。自分がもっている世界についての**期待や理解**に合うように**情報を変容させて取り入れている**のです。

幽霊の戦争

バートレットの実験には，**「幽霊の戦争」**という**アメリカ先住民の民話**が使われました。**イギリスの学生**に**この話を普通の速さで2度読み聞かせ**，しばらくしてからその話を再生するように求めました。**再生されたこの物語を別の学生が同じように読んでから再生し**，その再生された物語を**また別の学生が読んでから再生する**というように繰り返しました。この手法は反復再生法として知られています。

どのように変容したのか

民話は再生されるにつれて

- **短く**なった。
- **名称**や**数**が**脱落した**。
- **常識的な**表現や内容になった。
- **伝え手**にとってより**納得**しやすい内容になった。
- **もとの話**から**ずれていった**。
- **話の核心**が**変わった**。
- 伝え手**自身の情動**に**影響された**内容になった。

なぜ物語が変容したのか

この民話は**霊界**が**人間の事件に関与する**ことがテーマになっているので，**イギリスの学生たち**にとっては**理解しがたい**ものでした。バートレットの研究は，人間は**自身のスキーマ**や**期待**に**合う**ように**記憶を調整している**ということを示しています。

目撃証言

記憶は調整されることがあるので，目撃者の証言に影響する可能性があります。このことはエリザベス・ロフタスの研究によって改めて社会的に認識されるようになりました。

車の衝突事故？

ロフタスの**古典的な研究**では，実験参加者たちに**軽度な交通事故**の**映像**を見せ，次のいずれかの質問をする実験が行われました。

「車が互いにぶつかったときにどのくらいのスピードで走っていましたか」

「車が互いに激突したときにどのくらいのスピードで走っていましたか」

1週間後に同じ参加者たちが**再度，同じ交通事故の映像について尋ねられました。**特に重要な質問は，事故現場に**ガラスの破片**があったかどうかについて問うものでした。ガラスの破片は**映像には映っていなかった**にもかかわらず，事故後に路上に**ガラスの破片**が散乱しているのを**見たことをはっきりと憶えている**と答えた割合が後者のグループではより高くなりました。

誤情報効果

ロフタスはこの実験に続いて多くの研究を行い，**誤情報**が**記憶に強く影響する場合の仕組み**を明らかにしました。**暗示的な質問**や**誘導尋問によって記憶が変容することがあります**が，**記憶がいったん変わってしまうと，もとの記憶と区別することができなくなります。**

法的意味

人間の**記憶が暗示によって変わりやすい**と知っていることは，**法的手続き**において**深い意味合い**をもちますが，特に**証人**への**尋問**の仕方に影響します。**エリザベス・ロフタスの研究を受けて，この効果を制限する**ための**厳格な手続き**が**取り入れられました。**

ジョン・ディーンの記憶

社会的な意味を憶えているということを示す歴史に残る古典的実例があります。

ウォーターゲート事件

1970年代半ばに行われた**ウォーターゲート事件の審問**は，最終的に当時の**アメリカ大統領であったリチャード・ニクソンの弾劾**につながりました。ニクソンの関係者グループが**野党本部の内部討議を違法に録音しようとしていた**ことが審問によって発覚したのです。**大統領の側近**だった**ジョン・ディーン**は，**記憶力のよさ**で定評がある人物であり，**個々の会話を詳しく**供述することができたため，その証言が特に**重視されました。**裁判の終盤で，**大統領執務室の会話を録音したテープ**の存在が明らかになり，**ディーンの証言が裏づけられました。**

根本的意味と詳細

認知心理学者の**ウルリック・ナイサー**はこの**録音テープ**と**ディーンの証言**を調べました。その結果ディーンの記憶は本人にとっては**非常に明瞭だった**ものの，**特定の細かな部分**についてはほとんど**正確ではありませんでした。**しかし，起きたことの**核心**についての再生は確かにできていたのです。ディーンは**出来事の社会的意味は正確に憶えている**一方で，**細部**に関する**記憶は曖昧でした。**

社会的記憶

ナイサーが示したように，**特定の細かな部分**の記憶は**誤って**いたとしても，**社会的要因**によって全体的には**正確に思い出す**ことができます。これは人間が**社会的動物**として**進化**してきたことと関連しています。**他者についての情報の利用**が必要になった際に**正確に思い出せる**ことは，**進化に有利に働く**のです。

知覚

知覚とは感覚器官を通して受け取った情報を解釈する働きのことです。

知覚の体制化

人間は**感覚器官**から**大量の情報**を受け取っていますが，**知覚**の**最初の段階**では，その情報が**意味のある単位**に**体制化されます。ゲシュタルト心理学**では，多数の**知覚の原理**が確立されました。たとえば，**類同**や**近接**，**閉合**といった原理が組み合わされて**「地」に対して「図」**を見ることが可能になります。

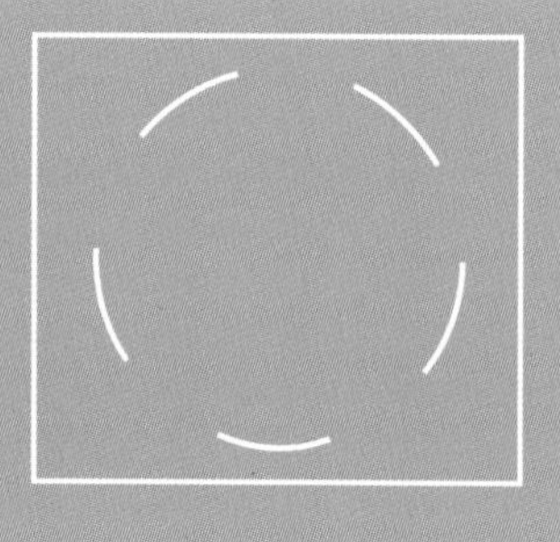

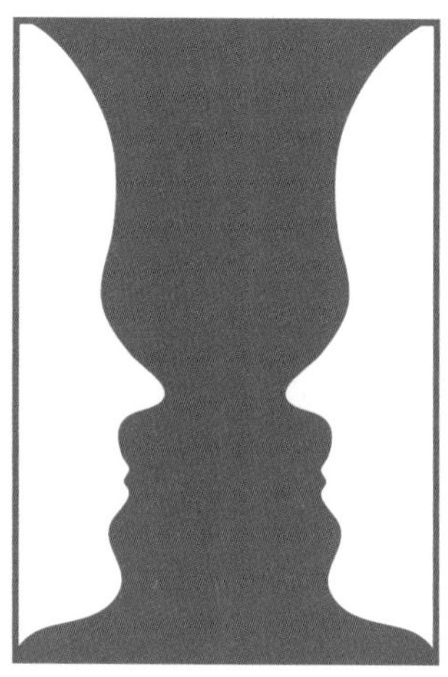

図と地の知覚

このような絵を見ると，**図**が**地**から浮き上がって見えます。ただし，**一度に一つの形態**しか見ることができません。**白い十字**と**黒い十字**のどちらか，**壺**の図と**二つの横顔**の図のどちらかです。**一方**を見ているとき，**もう一方は消えます**。著名な画家の**M.C.エッシャー**は多くの作品にこの原理を使っていました。

生得的な知覚

脳内には**線**や**単純な形**に**反応する特殊な細胞**があります。線や形の認識は**図と地を知覚する基盤**となります。また，人間の社会的特性の例として，**顔立ち**に反応することに特化した細胞もあります。このような細胞応答は**生得的**なものです。**経験を積むことで**知覚は**よくなりますが**，人間には**基本的な図や他者を知覚する能力が生まれつき備わっている**のです。

距離の知覚

物体がどのくらい遠くにあるかを知ることは視覚の重要な役割です。

奥行き手掛かり

奥行き手掛かりは，**対象物までの距離**を把握する際に助けとなる視覚的特徴です。**両目**で見ることを必要とする**両眼性奥行き手掛かり**と，**片目**で見ても有効な**単眼性奥行き手掛かり**の**2種類**があります。

単眼性奥行き手掛かり

七つの主要な単眼性奥行き手掛かりがあります。これらは**絵画**に利用されることがよくあります。

- 相対的大きさ
- 重なり
- 相対的位置（上下遠近法）
- 色の勾配
- きめの勾配
- 陰影
- 遠近法

重なり

色の勾配

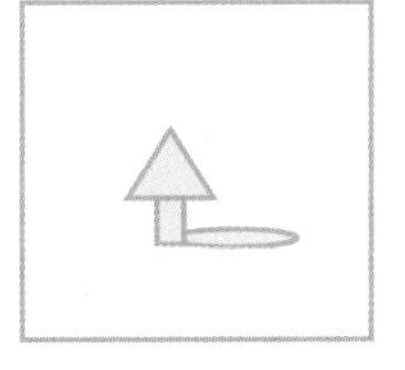

陰影

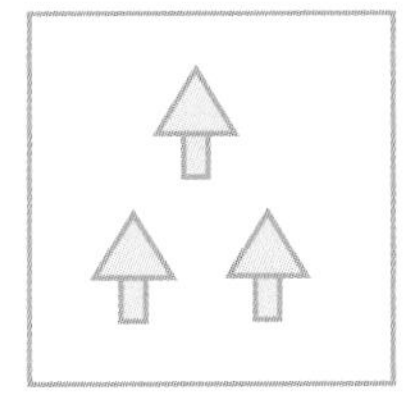

相対的位置

きめの勾配

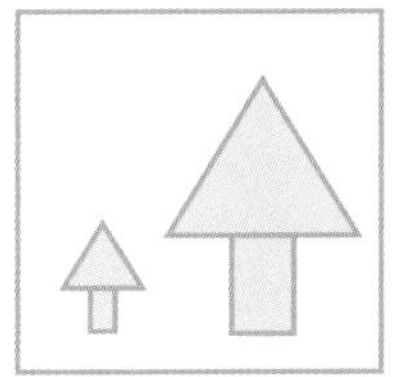

相対的大きさ

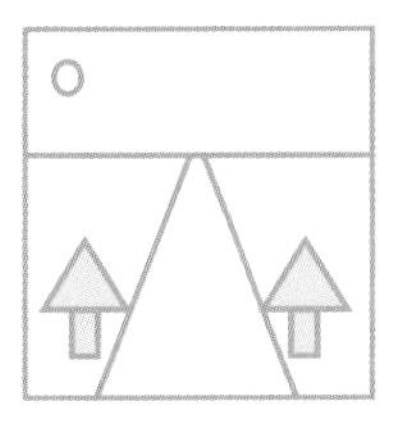

遠近法

両眼性奥行き手掛かり

左右の目がそれぞれに受け取る**像**は**わずかに異なっている**ので，**脳**が**左右の像を比較**できるように**視覚系**は構成されています。これを**両眼視差**と言います。**眼筋**の収縮（**輻輳**（ふくそう））も**両眼性奥行き手掛かり**の一例です。**腕を前に伸ばして**人差し指を自分に向け，**指先を見つめたまま**，指を**鼻に近づけていく**と**両目が寄っていきます**。これも脳が使うことのできる手掛かりです。

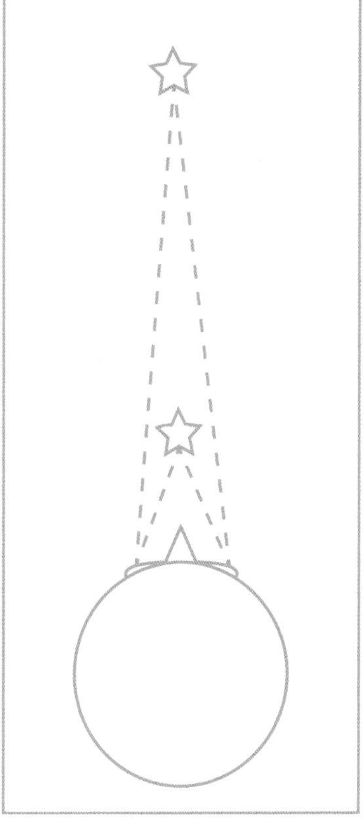

知覚の構え

実際に存在するものが知覚に影響するのと同程度に期待も知覚に影響を与えることがあります。

構え

陸上競技で使われる掛け声「**位置について，用意，ドン！**」の「**用意**」と同じ意味で，**心理学**では「**構え**」という言葉が使われます。「**用意ができている**」つまり「特定の**行為**をする**準備ができている**」という意味です。**認知心理学**の場合は，特定の方法で**思考**し，**記憶**し，**知覚**する準備ができていることを意味します。

プライミング

人間はたいてい，**見る構えができているものを見ます**。数字の羅列を呈示されたら，図中左の曖昧図形が13に見えるでしょう。文字の羅列を見た直後にはBに見えます。これは**プライミング**という効果です。同様に図中右の動物が**ウサギ**に見えたり，**アヒル**に見えたりしませんか。最初に何が見えるかは何を**知覚し**，何が**用意されているかによります**。すなわち，**知覚の構え**によっているのです。

恒常性

また，**すでに得ている知識**を利用することもあります。だれかが**自分の方に歩いてくる**とき，受け取る**視覚イメージ**は次第に**大きく**なりますが，**その人が大きくなったとは感じません**。これを**大きさの恒常性**と言います。類似した例として，見慣れた**青い車**は**オレンジ色の街灯**の下でも**青く**見えます。これは**色の恒常性**という現象によるものです。**目が受け取る光の波長**がまったく**異なる**ので，その車**を見るのが初めて**であれば，**実際の色を知覚することはないかもしれません**。

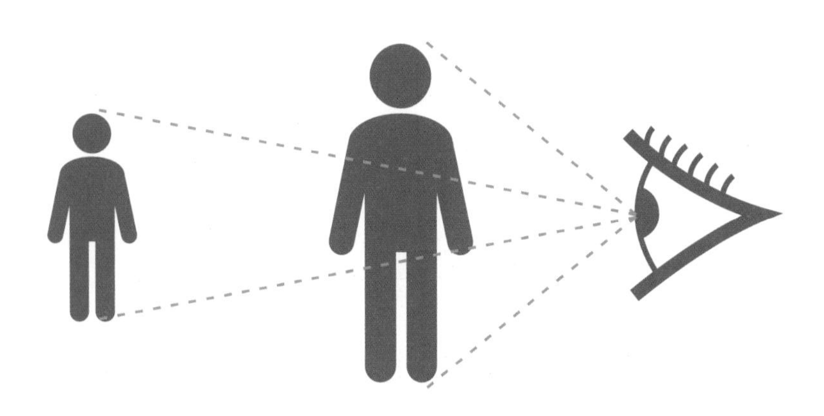

錯 視

人間の知覚はときに完全に惑わされることがあります。

ゲシュタルト原理を使った錯視

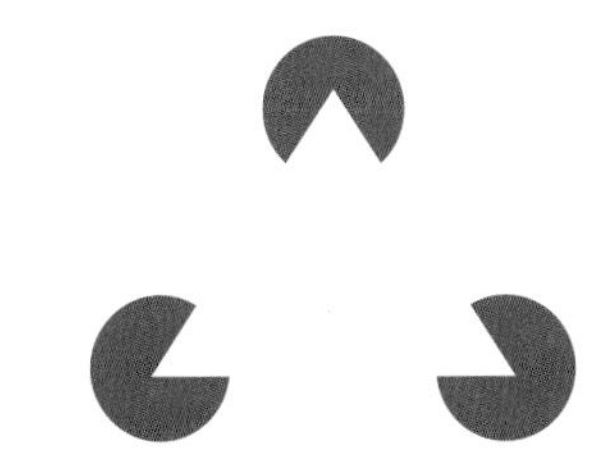

錯視には**閉合**や**近接**といった**ゲシュタルト原理**を利用するものがあります。右の「**透明な三角形**」はその一例です。**存在していない**はずの三角形が**はっきりと見えます**。しかも**周辺より明るく見えます**。

奥行き手掛かりを使った錯視

また，**人間の知覚を惑わす距離手掛かり**を使った錯視もあります。たとえば，この**ポンゾ錯視**では，2本の横線は**実際には同じ長さ**であるにもかかわらず，**上の線**が**下の線**より長く見えます。相対的大きさを使った**円の錯視**では，双方の図の中心の円は**同じ大きさ**でありながら，**一方がもう一方より大きく**見えます。

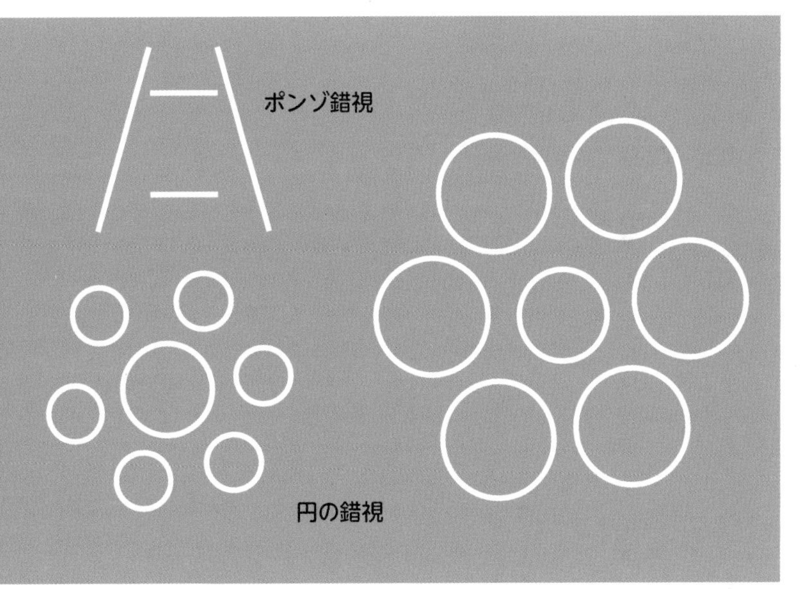

順応の錯視

動いている電車から**窓の外の景色を長時間眺めていた**後に電車が**止まる**と，電車が**逆方向へ動いていく**ような**感覚**を受けます。これは**視細胞**が**動き**に**順応した**後，**再調整する**までに起きる現象です。同じように，**赤い図形**を1分ほど**見つめて**から**白い紙**に視線を移すと，目のなかで**色を検知する錐体細胞**が**調整する**間，その図形に**緑色の残像**が見えます。

4 認知心理学

知覚についての二つの理論

リチャード・グレゴリーとジェームズ・ギブソンはそれぞれ，
視覚について非常に異なる説を唱えました。

仮説－検証

見えるものについて**脳**が**仮説**を立てることによって**知覚が働く**と**リチャード・グレゴリー**は論じました。ここでの仮説とは，**仕込まれてしまった推測**のことです。**奥行き手掛かり**や**ゲシュタルト原理**などの**過程**に基づいて脳が知覚のための仮説を立てるので，**錯視**によって惑わされる現象が起きます。

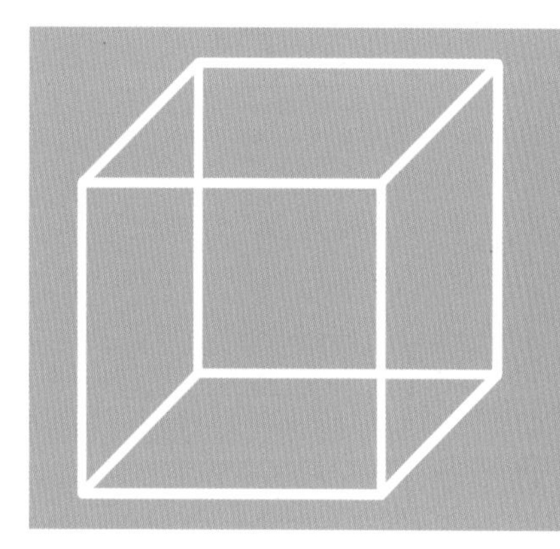

ネッカーの立方体

グレゴリーはその証拠として**ネッカーの立方体**を使いました。この図では，**どちらの面**が**手前**であるのかを判断するための**奥行き手掛かり**が**矛盾している**ので，**二つの可能性**のどちらが**正しい**のか**脳**が**決められません**。この図を見ていると**二つの可能性**のいずれかに**切り替わって知覚されます**。これは**意識的に制御できません**。

直接知覚

ジェームズ・ギブソンは，**実際の知覚**は**もっと直接的**なものだと考えました。周辺世界をただ**動き回る**だけで，**ほとんどの錯覚が取り除かれます**。たとえば，**移動するときに**物の見え方が**調整される視差**があります。**近くの物体**が**遠くの物体**より**速く動く**ように見えるのは視差の作用です。観察者が**静止している**ときや**紙面上では**，この距離手掛かりは発生しません。**ほとんどの不確定要素が取り除かれた生態学的文脈**で**知覚は生じる**とギブソンは説きました。

知覚循環

ウルリック・ナイサーの知覚循環モデルは，既知のことをどのように使うのか示す一方で，予想外のことにも気づける仕組みをも示しています。

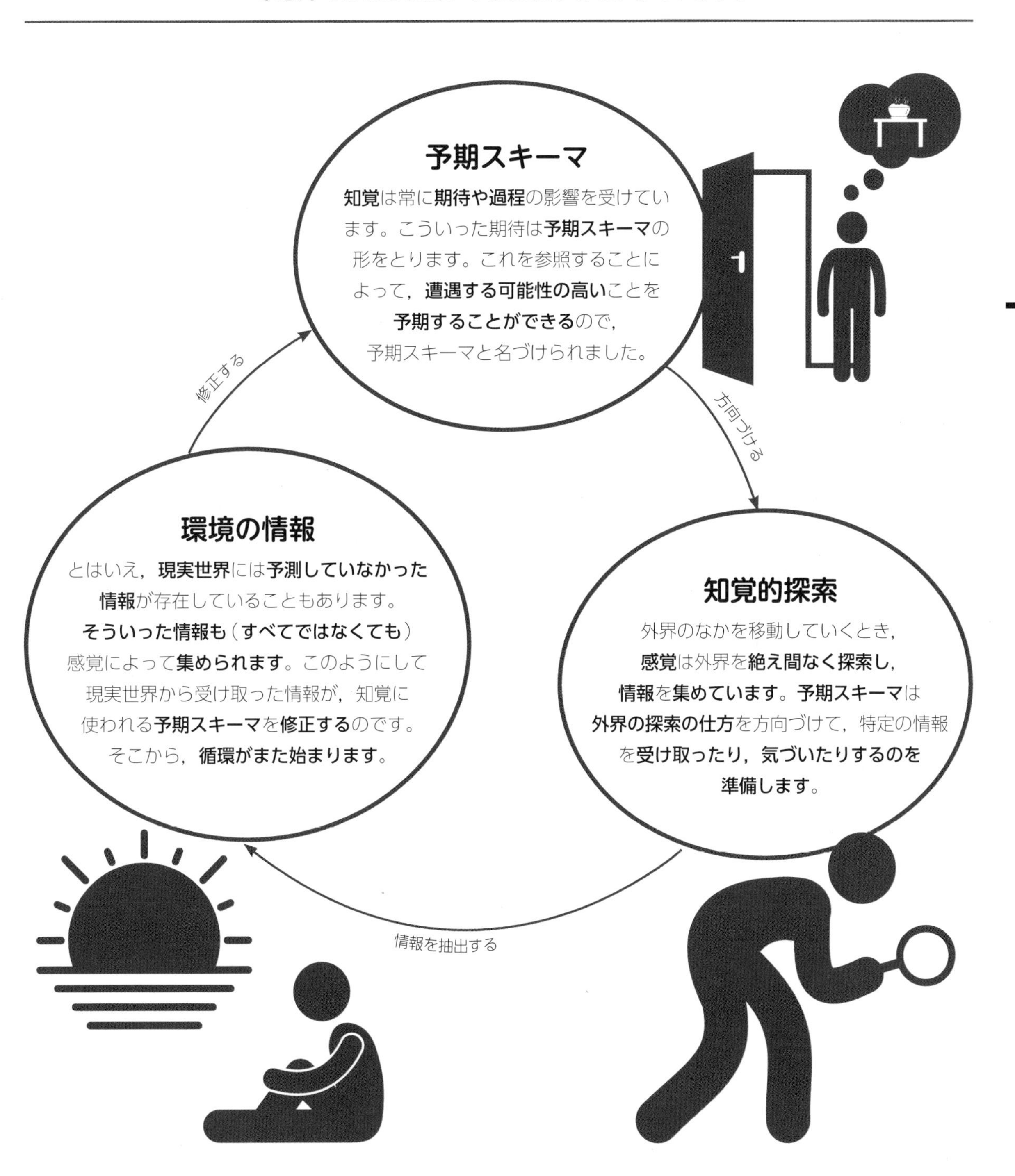

注意

周囲に何があるのか気づくのも知覚の一部です。

能動的注意と受動的注意

初期の心理学者，**ウイリアム・ジェームズ**は**能動的注意**（**意図的**に何かに**注意を向ける**）と**受動的注意**（**大きな音**などの**外部刺激**によって注意を**引きつけられる**現象）を区別しました。

焦点的注意と分散的注意

また，**焦点的注意**と**分散的注意**の区別もあります。**焦点的注意**では**一つの刺激だけに反応し続け，ほかの刺激は無視し続けます。話し声**が飛び交うなかで何かを**読む**といった行為が可能となります。**分散的注意**では**同時に複数の情報をモニター**します。**テレビを見ながらスマートフォンをチェックし続ける**のがその一例です。

カクテルパーティー現象

たとえ**別の会話に集中**していても**自分の名前**のような**特別な刺激**に**注意が引かれる**ことがあります。これは**カクテルパーティー現象**と言われるものです。**特定の刺激には気づく**一方で，それ**以外の刺激にフィルターをかける**仕組みを説明するためにいくつかの**モデル**が考案されました。

閾下（いきか）知覚（サブリミナル）

情報の示され方があまりに**微弱**である場合，**意識されないままその情報を受け取っている**ことがあります。これは**閾下知覚（サブリミナル）**と呼ばれるものです。**本人に自覚させることなく影響を与える**ことができるので，1950年代以降，**閾下知覚メッセージ**を**広告で使用すること**は**禁止**されています。

思考

思考の研究も認知心理学の重要な一部です。

問題解決

人間として生きている限り，何かしらの**問題を解決する**必要に迫られることがよくあります。それは時として**特定の課題**に取り組むことであったり，人に**嫌な知らせ**を伝えることであったりするでしょう。人間の問題解決は**予期**や**仮定**に**強く影響を受ける**ものであり，認知心理学者は**こういったことがどのように人間に影響するのか**を研究してきました。

心的構え

知覚と同様に**精神**も**特定の思考法**をとるように**「構え」**がつくられています。**心的構え**は**特定の心的活動**のための**レディネス（準備状態）**です。**ただちに問題を処理する**という点では便利な仕組みですが，**よりよい解決策が他者には明らか**かもしれないのに，本人には時としてそれが**見えていない**ということも意味します。

意思決定

判断や**意思決定**の仕方も**認知心理学**の**重要な一部**です。人間が下す判断や意思の決め方は多くの要因に影響されます。**広告業界**は常にこの仕組みに強い関心を寄せてきました。

思考の近道

人間は必ずしも，**問題のあらゆる側面**を通して，**やり方を注意深く考える**わけではありません。その代わり，「ヒューリスティクス」（73ページ参照）または「発見手法」と呼ばれる**近道**を使います。これは**心的活動を簡略化する**ものですが，**思考の大半**はこのような手法によって単純化されています。

心的構えを超える

適切な意思決定をするためには心的構えにとらわれないことが重要です。

水平思考

1967年に**エドワード・デボノ**が，**慣れ親しんだ固定的な思考パターン**の**落とし穴を避ける方法**を発表しました。固定的な思考パターンは**効果的かつ創造的に問題に取り組む**ことを**阻む硬直した心的構え**を形成します。これに対し，**水平思考**は可能性について設定されていた**仮定**を意図的に**取り除き，可能性のある新しい解決方法**を探るような「**枠組みにとらわれない思考**」を含みます。

ブレインストーミング

ブレインストーミングと呼ばれる**集団意思決定の技法**も**心的構えを超える**方式の一つです。この言葉は単に**アイデアを共有する**という意味で使われることがよくありますが，それは**厳密にはブレインストーミング**ではありません。**奇抜なアイデア**を提案したら**頭が悪い**とか，**どうかしている**と思われかねないと**心配して，**人前でそのような発言をすることに**臆病**になってしまうことがあります。ですから，そのような状況が**発生しない**ようにブレインストーミングの討議には**三つの個別の段階**が含まれているのです。

ブレインストーミングの三つの段階

1. **アイデア出しの段階**‥‥**すべてのアイデアを受け入れ，どんなにばかげていても**メンバーが思いついたアイデアを**否定しない。**
2. **吟味の段階**‥‥各アイデアを**慎重に検討し，非現実的な**アイデアを**却下する。**
3. **評価の段階**‥‥**残ったアイデア**を一つずつ取り上げ，**利点**と**不利点**について**話し合う。**

熟達者と初心者

知識と経験を深めることによって問題解決能力を向上させることができます。

専門性と創造性

熟達者と**初心者**では**問題解決**のための取り組み方が非常に**異なる**ということが**心理学の研究**で明らかになっています。たとえば，**チェス**の名手と初心者を比較した研究では，初心者がチェスを**個々の駒の動き**とみなしているのに対して，名手は**駒同士の関係性**という観点から見ていることがわかりました。熟達者はたいてい，取り組み方がより**創造的**であり，**心的構え**によって**制限される**可能性がはるかに**小さい**のです。

自動化

熟達者と初心者の**最も重要な違い**は，熟達者の方が格段に**多くの実践**経験があることです。その結果，熟達者は**広範囲**にわたる**認知技能**が発達しており，初心者であれば**発見するのにかなりの時間**がかかってしまうような**解決方法**を**一見しただけで**見つけることができます。また，**見覚えのある状況**を認識できるだけでなく，状況が**見覚えのあるように思えても**実際には**重要な点で異なる**様子に気づく能力もあります。このような認知技能は**実践**を積むにつれて**自動化**するので，熟達者は**実際に意識することなく，認知技能を使いこなすことができます。**

熟達者の特徴

- 熟達者は広範囲にわたって**知識を実際に使ってきた**経験がある。
- 熟達者は**問題を異なる方法で理解する。**
- 熟達者は**異なる問題解決方法を使う。**
- 熟達者は**より多くのことを知っている。**
- 熟達者は**より多くのことを憶えている。**

意思決定における社会的影響

多くの意思決定は，ほかの影響をもたらす他者の介入と一緒に行われます。

リスキーシフト

集団や**委員会**は常に**安全で保守的な決定**を下すものだと私たちは思いがちです。けれども，**個々の成員**が**単独で**決定する場合に比べて，集団は**より冒険的な決定**をする傾向があることが研究で明らかになっています。**合意**と**共同責任**は意思決定の流れを**チャンスに賭ける**方向へ向けてしまいます。

集団極性化

集団の影響についての後続研究でわかったのは，集団は**いつも，より冒険的な決定をするのではなく，**より**保守的な決定**を下す場合もあるということです。集団が意思決定をする際には，**個々の成員**が下す判断に比べて**極端に危険**か，**極端に安全**かのどちらかへ向かわせる影響力が働きます。これは**集団極性化**として知られています。

集団思考

時には，**集団の影響**が**あまりに極端**であるため，**現実から**完全に**乖離してしまう**ことがあります。**アメリカの宇宙計画**で**重大な頓挫**が発生したのは，**運営**がミッション（アメリカの民間人による最初の宇宙飛行）の**広報**に**成功すること**に**ばかり目を向け**，**技術者たちの警告**を**無視した**からでした。その結果，打ち上げの数秒後に**スペースシャトルが爆発した**のです。**集団思考**は**確立された集団**で**よく起こる深刻な問題**であり，用心深く**防ぐ**必要があります。

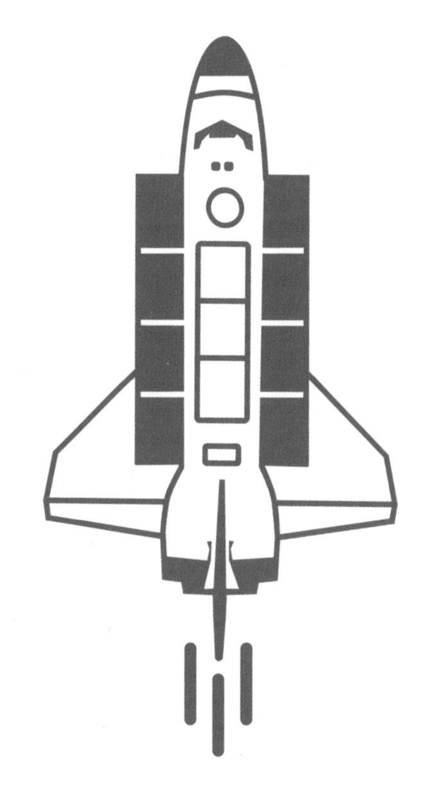

ヒューリスティクス

人間の意思決定にはヒューリスティクスと呼ばれる思考の近道が多数含まれます。
これは，人間の決断は必ずしも理に適ったものではないことを意味しています。

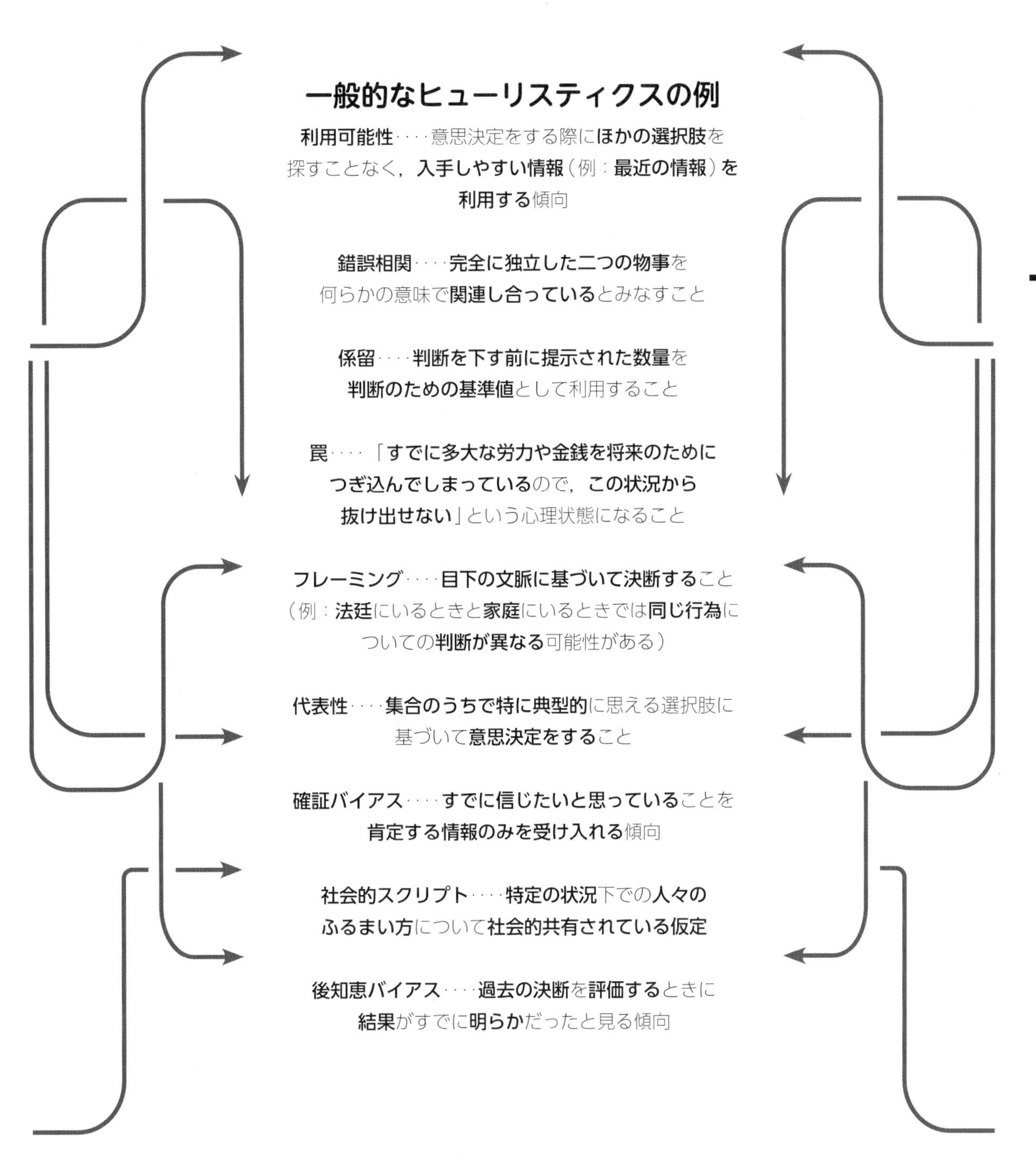

4 認知心理学

速い思考・遅い思考

人間の思考方法には２種類あり，この２種類には互いに非常に異なる特徴があります。

カーネマンとトベルスキー

二人の認知心理学者，**ダニエル・カーネマン**と**エイモス・トベルスキー**は，**人間の思考**における**ヒューリスティクスの重要性**を明らかにすることに貢献しました。2002年にカーネマンが**ノーベル賞**を受賞しましたが，トベルスキーが1996年に死去したため，ともに受賞することは叶いませんでした。2011年にカーネマンは**二人の共同研究**を**一つの理論にまとめた**著書『ファスト&スロー　あなたの意思はどのように決まるか？』（2011年，邦訳：2014年，早川書房）を出版しました。

システム１の思考

日常的な思考の大半はカーネマンが**システム１**と名づけた方式で行われています。**高速で直観的**であり，主に**自動的に**処理される思考であり，**プライミング**や**ヒューリスティクス**などの**近道**を使う思考法に大きく左右されます。その結果，私たちは物事について**早合点してしまう**ことがよくあります。システム１は**やり慣れていて楽に行うことができ**，だいたいにおいて**日常生活に対処する**のに**適しています**。しかし，**より深い思考や細部へのより入念な注意**が必要な状況では**対応できません。**

システム２の思考

システム２は**慎重で懐疑的**，そして**綿密な**思考です。**細部に意識的に注意**を払わなくてはならず，**精神を**完全に**集中させる**という**本格的な心的努力**が欠かせません。システム２には**極度の集中状態**が必要となるので**疲労困憊**（こんぱい）**する**こともありますが，**心地よく感じられる**場合があるのも事実です。そのようなときは，深い**充実感**をもたらす「**フロー**」の状態がつくり出されています。

精神分析の起源

あらゆる心理療法の始まりは「ヒステリー」の患者に使用された，怪しげな磁気治療にまでさかのぼります。

メスメリズム

オーストリアで内科医をしていた**フランツ・メスメル**（1734～1815）は，**心身の健康**は人体内部にある**磁気の配列**によると考えました。メスメルは患者の体内に鉄を投与してから，患者の体のさまざまなところに磁石を貼り，**ある種の睡眠状態**に導きました。この状態で患者は会話や行為が可能で，目が覚めたときには気分がよくなっていました。のちにメスメルは**磁石を使用せずとも掌**だけで「**メスメリズム**（動物磁気を整える療法）」を施せることを発見したのでした。

二重意識

ブレイドは**催眠の科学的研究**に着手し，人間の「**二重意識**」を探究する**精神生理学の理論**を発展させました。催眠によって二重意識に働きかけることが可能になり，**ヒステリーの治療**に活用できるとブレイドは説いたのです。フランスの神経学者，**ジャン＝マルタン・シャルコー**（1825～1893）はブレイドの説に賛同し，催眠治療の**公開実演**を行いました。1885年に見学に来た人たちのなかには**ジークムント・フロイト**がいました。フロイトは，**催眠**は**心**の**無意識**の領域内へ**至る方法**だと気づいた人物です。

催眠

1840年代に**ジェームズ・ブレイド**というスコットランド人の外科医が，**メスメリズムの暗示にかかった状態**（ブレイドは「**トランス**」と表現）が**効果的な治療要因**になることと，**意識**を数分間**一点に集中させる**とトランス状態に**誘導**できることに気づきました。**この状態にある**患者には**治癒につながる考え**を暗示することができ，あたかも奇跡のように**病が治った**のです。ブレイドはこの作用を改めて「**催眠**」と名づけました。

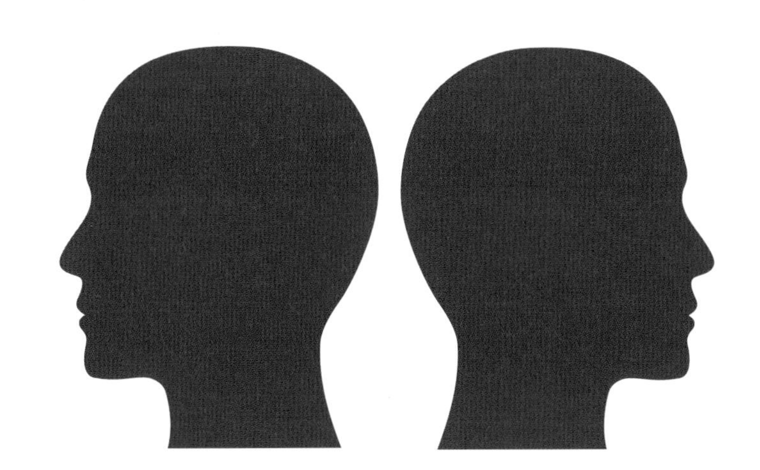

トランスで**聴覚**が**鋭く**なることがブレイドによって発見されました。**時計のカチカチと鳴る音**は通常，**1m**以内でないと聞こえませんが，トランスの間は**10.5m**離れたところから聞こえたのです。

フロイトと「お話療法」

**ウィーンの二人の医師が身体の治療と同じように心の治療も可能になることを願って
心の機能構造を定式化することに強い決意をもって取り組みました。**

ヨーゼフ・ブロイアー（1842～1925）

1870年代にオーストリアの医師**ヨーゼフ・ブロイアー**は，患者が**人生の以前の時期**に**退行する**手段として**催眠**を活用しました。**追体験された記憶**が**強い情動反応**を引き起こして感情が解き放たれると，患者の**神経症の症状**（**脚の麻痺**など）が消えたのです。ブロイアーはこのような働きかけを**カタルシス療法**と名づけ，これが「**お話療法**」の**最初の形態**を表すものとなりました。

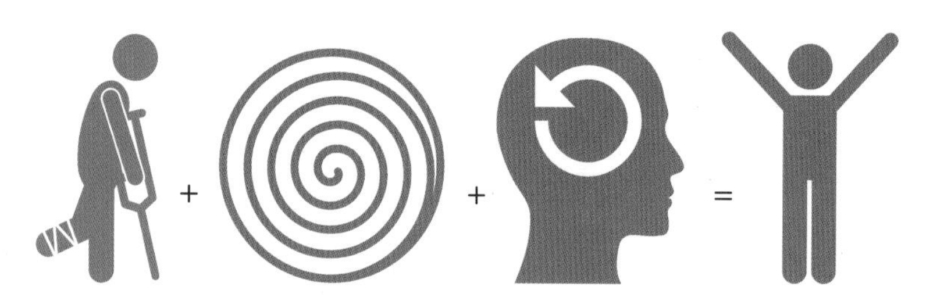

神経症の症状＋催眠＋心的外傷を負ったときの記憶をたどる>>治癒

知りたくない

催眠は身体の症状を取り除くことができても「症状の**形成につながったすべてのプロセスが変わらないまま**」残ることにフロイトは気づいたため，**催眠を使うことをやめました**。なぜ，このように**真実を自分自身が知ることのないように隠す働きがあった**のでしょうか。そして，**自分でも気づかないうちに**隠してしまう心の仕組みとはどのようなものだったのでしょうか。何が**知ることへの抵抗**を生んだのでしょうか。フロイトは，**自分と患者がそのことに気づくことができない場合，別の出来事**の間に抵抗が**再び生じる可能性があり**，この抵抗が**新たな神経症的症状**を引き起こしかねないと説きました。

ジークムント・フロイト（1856～1939）

ブロイアーの友人で共同研究者でもあった**ジークムント・フロイト**はブロイアーとともに**お話療法の開発**に取り組みました。**ブロイアーは**治療していた患者の**アンナ・O**に**恋愛感情**を抱かれたのをきっかけに精神の健康問題を扱うのを**やめましたが**，フロイトは**催眠**と**カタルシス療法**を使う精神医療を続けました。この「お話療法」を改良した**治療法**を打ち出し，**精神分析**と名づけたのがフロイトです。のちにフロイトは，自分のために手を尽くしてくれる人物に対してアンナ·Oが感じていた「愛着」は精神分析では**繰り返し起こる特徴的事象**だということに気づき，これを**転移**と称しました。それは，自分の人生にかかわりのある**人物に対して特別な感情を抱いている**患者が，その対象を**分析者に転移する**ためです。

無意識

どこからともなく突然，頭にアイデアが浮かぶことにだれもが気づいているとフロイトは述べています。この「どこかわからないところ」が無意識なのだとフロイトは主張しました。

無意識の発見の経緯

- **150年頃**　古代ギリシャの医師ガレノスが，人間は知覚から推論をする際にそういった思考をしたことに気づいていないと理解する（例：会ってから数秒以内に，その人物が裕福であると即座に「わかる」）。
- **250年頃**　ローマ帝国の哲学者プロティノスが，思考の過程は意図して認識しようとしない限り，気づくことがないと説く。
- **1270年頃**　哲学者トマス・アクィナスが，無意識の精神は「感じることはできるが，見ることはできない」幽霊のようなものだと記す。
- **1530年頃**　スイスの医師パラケルススが，疾病には無意識が関与していると主張する。
- **1765年**　人間が自覚なく行動する可能性とアクセスできない記憶の存在について，1704年にドイツの哲学者ライプニッツが著した原稿が公刊される。

- **19世紀**　ドイツの哲学者ショーペンハウアーが，人間の性格を無意識の過程という観点から論じる。
- **1869年**　ドイツの哲学者エドゥアルト・フォン・ハルトマンが『無意識の哲学』を出版する。
- **1890年**　学問分野としての心理学の二大始祖であるヴィルヘルム・ヴントとウィリアム・ジェームズが，無意識的処理が起こると仮定して行った精神の研究を書籍にして発表。
- **1900年**　ジークムント・フロイトが無意識のプロセスとその力動性を研究することができるような方法を考え，無意識に系統的アプローチをした最初の人物であった。
- **1920年代**　観察可能な行動とそのような行動の起因となる刺激のみを研究対象にするべきだと考える心理学者たちは無意識という考えを否定する。
- **1970年代**　認知心理学者が意識的な精神と観察可能な思考のみが重要だと主張する。

- **1990〜1999年**　アメリカの「脳の10年」と呼ばれるプロジェクトによって神経科学の分野における理解が驚異的な速度で深まり，無意識的処理が存在することには科学的で神経学的な根拠があることが明らかになる。

より速い思考

無意識的処理を行う脳の能力を**情報**処理速度で表すと約**1100万ビット毎秒**です。対して，**意識的処理**は**最速**で**40ビット毎秒**で行われます。これは，**ほぼすべての思考**がまったく**知覚される**ことなく**進行する**ことを意味しています。

「我々の**精神生活**の大半はいかなるときも**無意識的**であり，これには**情緒的生活**の大部分が含まれる」
（神経科学者エリック・カンデル，2012年）

自由連想と夢

催眠によって無意識に対して暗示することが可能だとフロイトは述べていますが，彼が探究しようとしていたのは，すでに存在するもの（未知の既知）を見つけける方法でした。

精神の働き

心的決定論*で説かれる通り，**精神は働く**と**フロイト**は考えていました。このことが意味するのは，人間の**思考は自然的なものではない**ということです。**無意識のルールやコンプレックス（情動・記憶・知覚・願望**の**中核にあるパターン）**に**左右される**のです。

原因を突き止める

そのため，**すべて**の**思考**や**行動**は**無意識に根があります**。フロイトによると，ここには**夢**か**自由連想**を通して**たどり着く**ことが可能です。無意識を探ることで，**自ら嫌だと思ったり，認めたくなかったりする振る舞い方**をついやってしまう理由を理解することができます。

*心的決定論：無意識の過程が人の行動や精神現象を決定づけているという考え

自由連想

フロイトは患者に**心に浮かぶ思いをすべて話す**ように促しました。患者は話をすることで，本人にとってはなんらかの点で**関連し合うとりとめのない非論理的な言葉の羅列を**□に出すことになります。**フロイト**は，この**思考の流れ**を分析することで，**無意識に潜む**問題の**根源**に**迫りました**。また，**道徳的**な理由，**自己愛的**な理由，**文化的**な理由，**精神的信仰**の理由のいずれかのために**思考**が**検閲にかけられ**精神から吐き出されてしまう**ブロック**も明らかにしました。

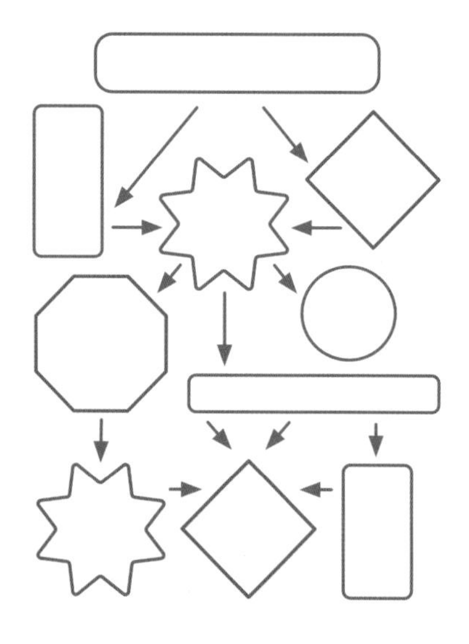

「**夢**は，**忘れている幼児期の素材**に**つながります**。ですから，‥‥**幼児期健忘**は‥‥**夢の解釈**と関係づけることで**よくなります**。このように，**以前は催眠が果たしていた働きの一部を夢**の解釈**によって達成できる**のです」

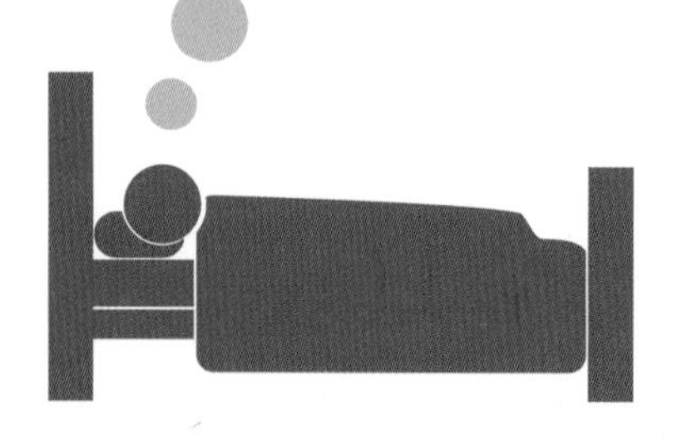

フロイト的失言（失錯行為）

本心を隠す意図があるときにその**本心を露わにする言葉を使ったり，行為をしたりしてしまう**ことはだれにでもあるものでしょう。**言い間違い**などの発生には**無意識の決定要因**があるので，こういった誤りは**無作為に生じるものではないし**，**他意なく起こるものでもない**とフロイトは述べています。

精神力動*と多様な動因

人間の心は，対立し合う三つの部分で構成されているとフロイトは唱えました。
この三つの部分は思考体系のことであり，脳の構造上の部位ではありません。

＊精神力動：心的事象や態度を生じさせるもの

心の三部構造

イド
原始的本能

性衝動，攻撃衝動，無意識の記憶を含む。衝動や欲望の源で，物事を渇望する。欲するのは食べ物やセックスなど，あらゆるもの。ただひたすら満足することを求める。

自我
現実に基づいた思考

「現実原則」に支配されており，イドと超自我の対立を調整する。「理性的」であろうとする心の部分。

超自我
道徳的良心

「正しく」行動するための家族内や社会の規範を含む。こういった規範は文化や家族によって異なる。イドとその衝動を非難する。

防衛機制

自我が**イドの衝動を現実原則に従わせることができず**，なんらかの点で**受け入れ難い**と感じる**思考**や**衝動**をもち続けることになると，人は**不安**になり，**無意識の防衛機制**を使い**始めます**。この防衛機制は奇跡が起こったかのように**思考や情動を消し去ります**。防衛機制は**無意識**に働くので，**自分では使っている自覚がありません**。アンナ・フロイトの著書『**自我と防衛**』（1936年，邦訳：1985年，誠信書房）にはさまざまな防衛機制が詳述されています。

たとえば，実際には事実であるのに，深刻な飲酒問題などのある事がらが本当ではないと自分が自分自身を偽るとき，**否認**する防衛機制が無意識に使われています。**抑圧**は，社会的に許容されない感情や不快な記憶を，自覚している意識から追い出す防衛機制です。また，自分のなかの「嫌な」感情を自分以外のだれかがもっていると主張することで，そのような感情を追い払う作用のことを**投影**と言います。ほかにも多くの防衛の形式があることがアンナ・フロイトによって明らかにされました。

リビドーと発達

人間は児童期の間に特定の発達段階を経てパーソナリティ（人格）が形成されていくとフロイトは考えていました。各段階がうまく乗り越えられなかった場合，成人後に困難を経験することになります。

リビドー

すべての**発達段階**での**駆動力**となっているのが**リビドー**です。リビドーは**本能的な生物学的衝動**に結びついた**一時的な心的エネルギー**です。当初，フロイトは，リビドーは「**性的興奮**」の領域でのみ発生すると考えていましたが，1920年代に解釈を広げ，「『**愛**』という言葉の適用範囲に**入る可能性のあるあらゆるもの**」のなかに存在しているとしました。これには，**自己愛**，**親**や**子**への愛，**友情**，**人類全体**への愛が含まれ，また，**対象物**や**抽象的概念への傾倒**も「愛」の一種だとフロイトは述べています。

五つの発達段階

フロイトは発達段階を**心理性的発達段階**として論じました。それは**異なる年齢**には**異なる様相**で**心理性的エネルギー（リビドー）が注ぎ込まれる**ためです。

1. 口唇期

誕生～１歳

味わったり，吸ったりする活動によって得られる**口唇刺激**に赤ちゃんは**快感**を覚えます。**固着**した場合，**喫煙**や**爪噛み**や**食事**に関する問題が生じます。

2. 肛門期

１～３歳

よちよち歩きの幼児は**膀胱**と**腸の運動**を保持することと**開放すること**への学習から**快感**を得ます。

固着すると，**過度に融通の利かないパーソナリティ（肛門性格）**か，**だらしなく破壊的なパーソナリティ**になります。

3. 男根期

３～６歳

この時期の子どもは**性器への刺激**を**楽しみ**，そこから**快感**を得ます。また，**男女の違い**があることに気づき，**同性の親**を自分と**同一視する**手段として**エディプス・コンプレックス**（**男児**の場合）や**エレクトラ・コンプレックス**（**女児**の場合）を体験します。**順調に**発達段階を**進めば**，子は**親から自立する**ことができます。**つまずきがあった**場合，成人後に**人間関係**において**抑制**的になったり**無力**感をもったりします。

4. 潜伏期

６歳～思春期

この段階では，**イドが影をひそめている**間に，**超自我が発達し**，**自我が強化されます**。その間に子どもは**社会性**を身につけ，**仲間関係**を育むようになります。この時期に**固着**が生じた場合は，**幼稚な人生観**を形成し，**成人後**に**人間関係を築くことに苦労する**可能性があります。

5. 性器期

思春期～死

この期間に入った**青年**（および**成人**）は，**恋人や伴侶が幸福であるように気遣い**ながら，相手に対して強い**性的関心**をもちます。この段階で**自我**と**超自我**は**十分に形成されている**ので，**イドの衝動**は**社会的規範**や**現実の成果とバランスがとれるようになっています**。この時期に**固着**が生じた場合は，**成人後**に**人生についてと人間関係を形成する**努力において**未熟な見通しを発達させます**。

愛と憎しみ

乳児は巨大で圧倒的な情動を体験し，そしてそれらに打ち勝つことが健康的な発達に必要なことだと精神分析家のメラニー・クラインとドナルド・ウィニコットは述べました。

よい乳房，悪い乳房

乳児*は**白紙の状態**というわけではなく，また，**愛にあふれている存在**でもないと**クライン**は説いています。乳児でも**死の本能に起因する憎しみ，怒り，強い不安**を感じます。**養育者（通常は母親）**への**愛**と**憎しみ**という別々の感情に対処するために，乳児は**母親が二人いる**と認識します。一方は「**よい**」（**愛情深く優しい**と感じられ，「**よい乳房**」を与えてくれる）母親であり，もう一方は「**悪い**」（**欲求を満たしてくれず，自分を虐げ，出し惜しみをする**「**悪い乳房**」としての）母親です。そう思い込んだ乳児は**よい母親を愛し，悪い母親を憎みます。**乳児期に**二人の母親を統合して一つの存在に戻す**ことができないと，人間を「**よい**」と「**悪い**」の**完全に二分した判断**をするようになります。

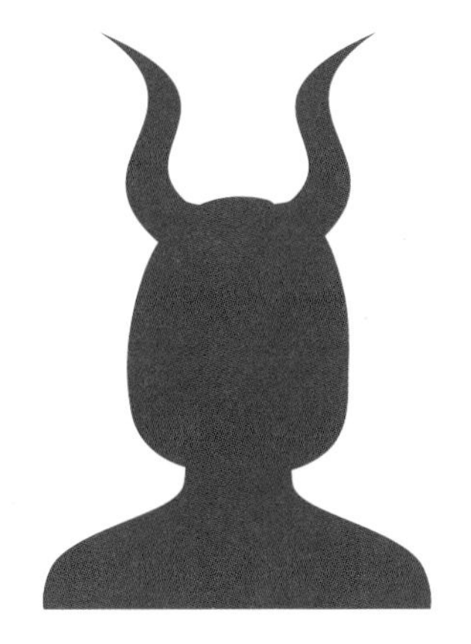

万能感と理想化

クラインによると，乳児は**万能感**と**理想化の力**を使って，よい母親と悪い母親に対して自我を**防衛します。**万能感のもとに，**嫌な影響の持続**を**絶つ**ために**悪い体験**を**否定し，悪い母親の脅威に立ち向かえる**と**感じられる力を高める**ために**よい体験を過大視します。**

本当の自己と偽りの自己

ウィニコットによると，**一時的な養育者**がたいていは**乳児の欲求**に**柔軟に対応**することで**乳児に万能感の幻想を抱かせることができた**場合，その子は**本当の自己**を**発達**させると説いています。親が乳児に対して**無視や放置をしたり，危害を加えたりして，万能感**の基本的な**段階**を**経験させなかった**場合，子どもは**偽りの自己（生存に必要な養育者たちを満足させ**ようとして**ゆがんだ**別の種類の自分）を発達させます。

情動への対処

養育者のもう一つの**役割**は，**乳児が自分の情動に対処できるようになるのを助ける**ことだと**ウィニコット**は述べています。たとえば，乳児が極めて強い**不満**や**怯え**を感じたときに，養育者が**自身は不満や恐怖を感じないようにしながら，**乳児が**感情**を自分に**投影する**のを許容するケースです。子どもが**一人では耐える**ことのできない**心身**の**苦痛を**養育者がひとまず受け止め，それから，子どもが**より穏やかな形**で情動を内的世界に再摂取できるように手を貸します。このように子どもをサポートすることで，その情動が**対処可能**なものであると子どもに気づかせることができるのです。

※本書では「子ども」を以下の定義にて使い分けている

乳児：1歳未満
幼児：満1歳から小学校就学まで
児童：小学生以上
子ども：乳児，幼児，児童の総称

アドラー心理学

アルフレッド・アドラーは共同体と文化が精神の健康に重要であることを強く訴えた最初の心理学者でした。アドラーは個人心理学として知られている新しいアプローチを開発しました。

もっと対等に

アドラーは，**治療者**と**患者**が**対等であるという意識**を共有するために**カウチソファー**を使うのをやめ，**椅子**を**2脚**置くことにしました。

三つのライフタスク

人生で大事なのは**リビドー**ではなく，**社会**に対する**個人の反応**だと**アドラー**は述べています。人生には**達成すべきタスク**（課題）が**三つ**あり，このどれもが**他者**との**協力**を必要とするものです。アドラーが始めた**個人心理学**のアプローチでは，社会内の個人を**全体論的に見ること**が重視されました。

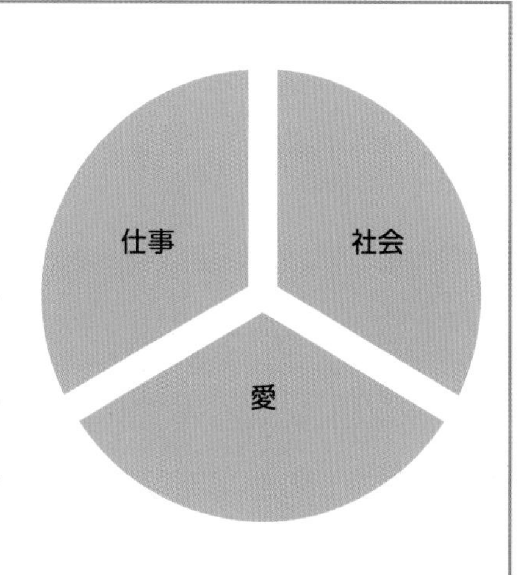

劣等コンプレックス

アドラーによると，人間を突き動かす**力動**はただ**一つ**しかなく，それは**社会的意義**と**安全**を求める**衝動**だということです。だれもが子どものころに自分は**劣った存在**だと感じており，これを**過剰に補償**しようとして，**安心**と**成功**を与えてくれると見込める**目標を無意識のうちに立てています**。この**目標**の**高さ**は**幼少期の劣等感**の**深さ**によって決まります（劣等感が**深いほど**，**目標**が**高く**設定されます）。

生まれ順

生まれ順が生涯にわたってパーソナリティに影響し続けるということがアドラーによって示唆されています。

最初の子

親の関心を独り占めしたのちに，その関心を完全に失う。内にこもり，強い競争心をもつようになる。規則に従うリーダーになる。野心的。

真ん中の子

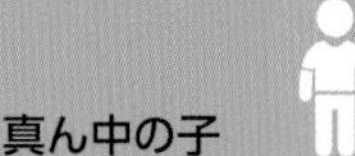

最初の子と競い合わなくてはならず，一生競争心の強い性格であり続ける。反抗的で権威にあらがう。家庭内の仲裁役。駆け引きが巧み。

末っ子

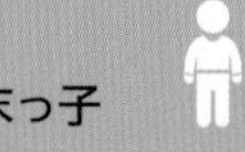

甘やかされて育ち，依存心が強く，無責任で，子どもっぽい。自分のことを人にやってもらう。注目の的になるのを好む。権利意識をもっている。

集合的無意識

カール・ユングがフロイトの後を継いだのは当然だと思われましたが，無意識の特性について急進的な考えをもっていたことが原因でユングは精神分析から離れ，分析心理学の樹立に至りました。

ユングの三つの精神

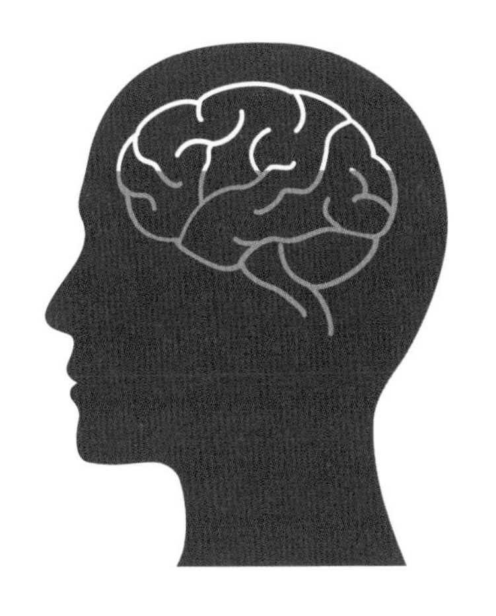

自我

ユングは，自我は**意識**のあるところに存在すると考えましたが，この領域は**自己**の**ごく一部**に過ぎないと述べています。**日常生活の**あらゆる**面**を余すところなく**組み合わせながら**，自我はすべての**覚知できる思考**，**記憶**，**情動**が働く場となります。このような自我があることによって，人間は**一貫性のある自己同一性の感覚**をもつことができるのです。

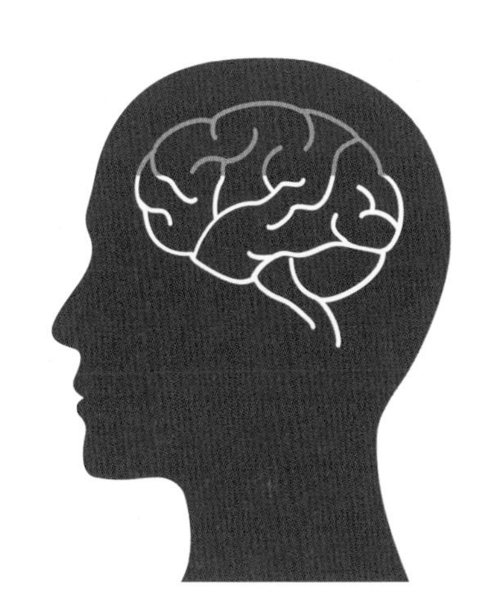

個人的無意識

個人的無意識は，**思考**，**情動**，**記憶**，**コンプレックス**（85ページ参照）を含みますが，**覚知**できません。また，**気づかないうちに**してしまう**行動を動機づけています**。個人的無意識は**集合的無意識**と**個人的なライフヒストリーおよび成長**との**交互作用**から発生すると**ユング**は考えました。

集合的無意識

集合的無意識には，**普遍的な傾向性**や，**進化史上の遠い過去**から**共有され続けてきた先祖や文化の記憶**が収められています。**人生の初め**に与えられる一種の**青写真**はこの領域に由来するものです。この青写真のなかには，**ユング**が**元型**（84ページ参照）と名づけたパーソナリティのモデルが含まれています。

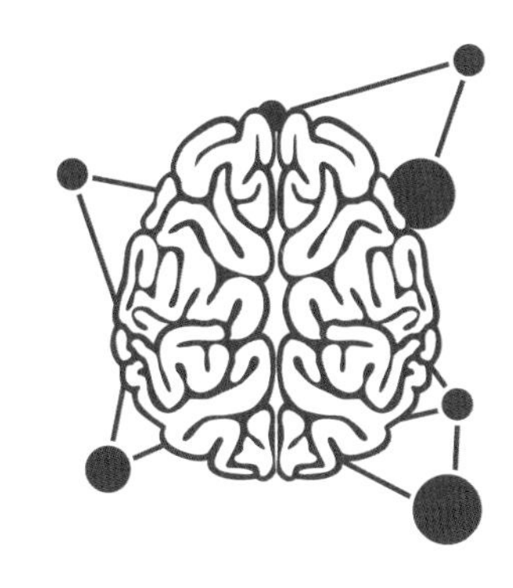

本質的な二元性

人間はだれしも**プシュケ（精神）**のなかに**女性的な部分**と**男性的な部分**を含んでいるとユングはみなしました。これらは**アニマ**と**アニムス**と呼ばれています。自分を構成する，この二つの**無意識の部分**は，どちらも**欠かすことのできない強力な**要素であり，自分の生物的性別がどちらであっても**一方を否定する**と**自分の一部を切り離す**ことになります。アニムスが**強さ**，**明晰さ**，**論理性**をもたらすのに対して，アニマは**創造的な発想**，**共感**，**つながりの感覚**を生み出すという性質があります。自分自身の異なる二つの部分である，**これらの元型の間を行き来する**ことによって，**どちらの性質も活用できる**のです。

ユング心理学における元型

共通の集合的無意識からわかるのは，過去の進化の過程の情報を
人類は共有しており，先祖の記憶およびパーソナリティ類型の認識があらかじめ組み込まれた状態で
人間は生まれてくるということだとユングは述べています。

普遍的な元型

世界中の各国**すべての文化**で**特定のキャラクターが知られている**とユングは述べています。例として，**賢者**，**トリックスター**，**神聖な子ども**，**狩猟の女神**といったものがあります。どこの国の出身者にとっても，これらの**元型**は**神話**や**物語**，**夢**に登場するおなじみの存在であり，人類は一つの**集合的無意識**を共有しているのです。つまり，だれもがこういった元型を知っており，**人生のどこかで**遭遇すると見覚えがあると感じます。

王または女王

トリックスター

神聖な子ども

賢者または賢女

ペルソナ

内心では違和感を覚えながらも，**ある特定の様子**の**ふり**をついしてしまっていたら，それは**ペルソナ**を周りに見せていることを意味します。本当は個人的問題で**悲しい**思いをしている人が職場では「**のんき者**」のペルソナを装い，帰宅してペルソナを**はずす**と**抑うつ**に陥るということもあります。

影

生存するために不可欠な闇の側面あるいは**部分**が人間にはいくつもあり，その**最大**のものが**影**だとユングは説きました。これは**パーソナリティの動物的な面**を表し，小説『**ジキル博士とハイド氏**』のハイドの場合のように**破壊的なエネルギー**をもつことがあります。

コンプレックスとその構成要素

抑制したり無視したりしようとしても，時に避けられない振る舞い方というものがあります。自己を構成する孤立した要素が，このような振る舞いをコントロールしているのです。ユングは，無意識にはこのような要素が多数あると指摘しました。

パーソナリティのなかで切り離されている要素

理由不明な**手足の麻痺**を患う患者について，**ジャン＝マルタン・シャルコー**が1870年代に「固まった**観念連合の集まり**が**寄生**という形で**精神に住みついている**。これが**精神**のほかの部分から**孤立した**状態で**運動現象**を通して**自らを外へ向かって表現している**」と述べています。

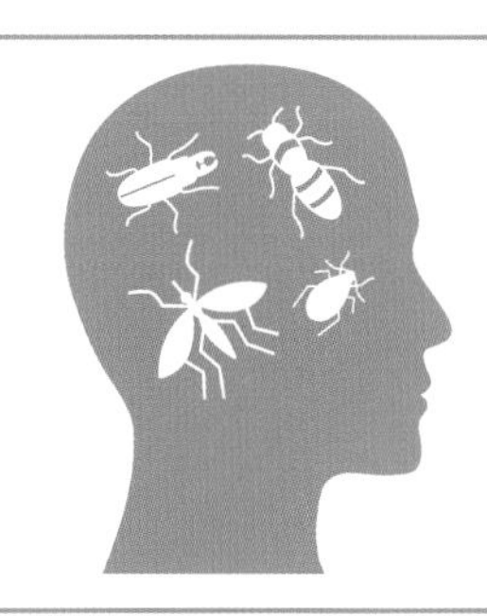

完全な分裂

このような**分裂した精神の断片**は**情動に満ちて**おり，**パーソナリティのほかの部分**から**独立した発達コース**をたどることができると，1898年に**ピエール・ジャネ**が述べています。そのうえ，この種のパーソナリティの断片はパーソナリティの**システム**を急に**乗っ取る**ことがあります。すると，乗っ取られた人は**正常な自我意識**を失って，**突然，自身のただの一部という「存在」**になってしまいます。自我の断片が**分裂する**作用は**乖離**として知られるようになり，現在，その**最も深刻な状態**は**DID**（**解離性同一症／解離性同一性障害**）と呼ばれています。

すべての要素を統合する

カール・ユングはこれらの分離したパーソナリティの断片に「**コンプレックス**」という呼称を与えました。コンプレックスは本人の**正常な感覚**と**相容れない**ものであり，**意識的な精神**によって**かろうじて制御できる，無意識内の存在**です。ユングは，**心理療法**の仕事は**これらの異なるコンプレックスを統合する**ことであって，**受け入れがたいために抑制された自身の一部**として存続させたままにすることではないと述べています。

コンプレックスの源

個々の**コンプレックス**の**もと**となるのは「**情動的なショック**などの**トラウマ**」であり，「これは**プシュケ（精神）の一片を分裂させる**」とユングは説いています。

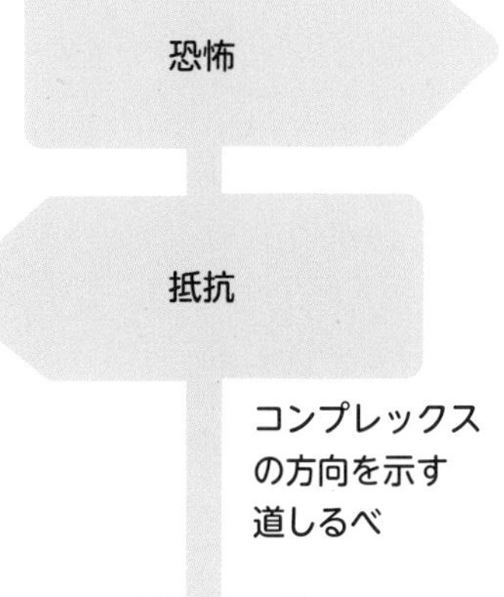

コンプレックスの方向を示す道しるべ

意味と幸福

ナチスの強制収容所の生存者であるヴィクトール・フランクルは，達成と苦しみのどちらも人生に意味を与えてくれるものなので，人間存在の光と影の両面を受け入れる必要があると述べました。

非人間化

職場で「**歯車のような機械の一部**」として扱われることを含めて，私たちはさまざまな方法で**非人間化される**可能性があると**フランクル**は見ていました。**工業化された**国々では**多くの人々**が**このような扱いを受けて**おり，その結果，**疎外**，**倦怠**，**依存**，**虐待**に苦しんでいます。

自由意志

私たちは**非人間化を迫る力に打ち勝つ**ことができます。なぜならば，**動物**や**機械と異なり**，人間には**自由意志**があるからです。そのため，日々の生活のなかで**私たちを押さえつけ**かねない力があっても，自分の**信念**と**価値観**に**忠実**であり続けることができ，自分の**考え**や**夢**を追求するために**人間的精神**を発揮できるからです。**状況がどのようであれ**，私たちは**反応を選ぶ能力**を**いつでももっている**のです。

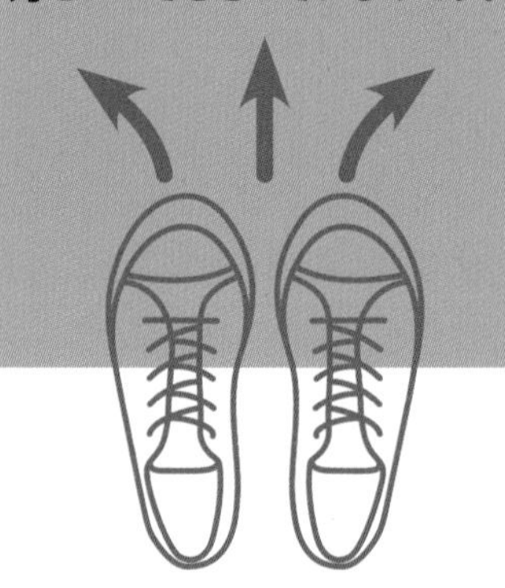

意味を見つける

人間は**人生に意味**を見い出すことを望みますが，これは**スピリチュアリティ**（**霊性**）が**人間の本質の一部**だからだとフランクルは主張しました。このスピリチュアリティが私たちを**自分より大きな**何かに向かわせるのです（**自己超越**）。**献身を必要とする**かもしれない何か（**宗教**や**政治的理念**から**最愛の人**まで，さまざまな事物の可能性があります）を探し求めずにはいられないのが人間であり，これを見つけたときに本当のレジリエンス*を見い出します。

*レジリエンス：精神的回復力のこと

ロゴセラピー

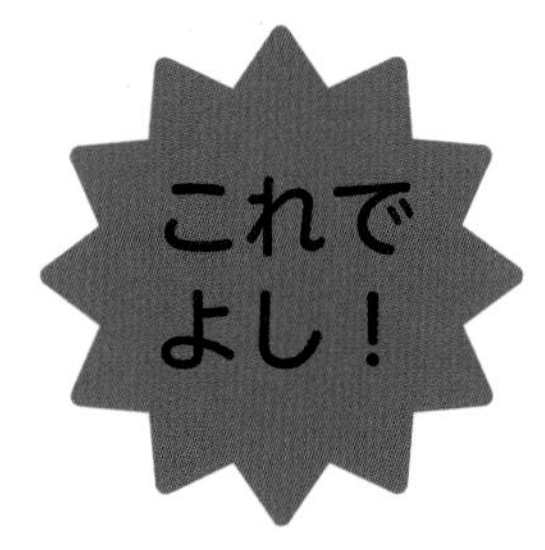

ロゴセラピーと名づけられたフランクルの療法は，どのような境遇にあっても**人生を肯定する力**を自分は**いつももっていた**という，フランクル自身の気づきに**基づいて**考案されました。

「生きる理由を知っている者は，いかなる状況も，ほとんどの場合，耐えることができる」（フランクルはニーチェのこの言葉をよく引用しました）

よき人生への道

実存的心理療法

心理療法には，人間の全体性とその経験の理解が必要とされるのに，20世紀半ばまでに精神分析が行ってきたのは，孤立したシステムの治療であり，分析がそのための１セットの技法に成り下がってしまったとロロ・メイは訴えました。

全人的治療

心理療法を受けに行くとしたら，その人は**人生に苦しんでいる**のだと**メイ**は述べています。そしてその人の問題は**複雑**で**深刻**です。メイによると，**フロイト**や**ユング**は**技法**には関心がなかったということですが，二人が望んだのは，**人々の意識を拡大させる**助けになることによって，心理療法が**人々の問題を解決するのではなく，その人自身が問題に取り組むための新たな方法を提供する**ことでした。このように**自我の感覚を広げる**ときに**人生**は**本質的により興味深い**ものとなるというのがメイの説です。

意味を付与する

あらゆる種類の**神話**と**物語**が「**ほとんどの人々が生きなくてはならない，**この**無意味な人生**」の**意味を見い出す**方法を示しています。人生の意味がわかると，**自分**や**他人**，そして**世界**についての新たな**洞察**や**考え**が生まれるのです。

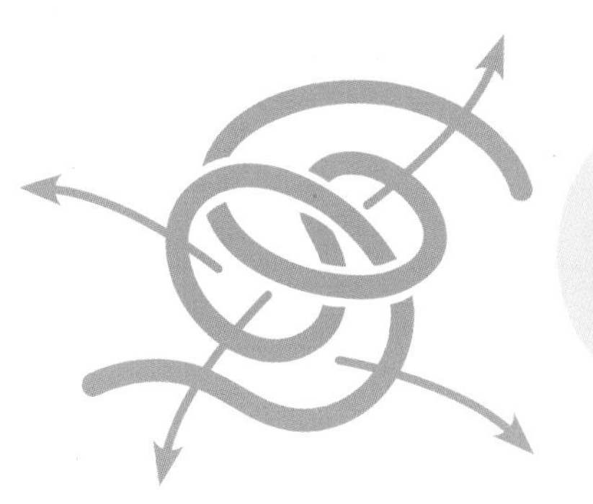

「自分の**感受性，愛する力，感じる力**，さらには**考える力**までも**大きくする**には私はどうしたらよいのか」(ロロ・メイ　1987年)

抑うつについて

人間が**抑うつ**になる理由は**本人が原因だと思っているもの（失業，伴侶との別れ，不眠症**など）**ではない**とメイは主張しました。「**人生を生きていない**ことから生じる**症状**」というのが，メイの抑うつについての見解です。

不安について

今の現実と**期待するもの**がどれだけ**乖離**しているかによって，自分の**不安**が**大きすぎる**のか，**小さすぎる**のか，**有益な大きさ**なのかが決まります。乖離があまりに**大きければ，創造性**や**前進**を**制限する神経症的不安**に苦しむことになるとメイは述べています。逆に乖離が**小さすぎる**場合は，自分が**退屈で不活発な人生**を歩んでいることに気づくはずです。けれども，乖離の程度が**ほぼ適切**であれば，乖離が**可能性**や**自由**として感じられます。**不安**や**自由**がなかったら，**人間の精神は行き場を失い，人生は無意味となります。**

創造性と遊び

遊びのなかで，私たちはすべての防衛を押さえ，自然な創造性を発揮します。ゆえに，遊びを通して，真に本物の自我を発見することができるのだと，イギリスの精神分析家ドナルド・ウィニコットは述べています。

二つの世界の間で

精神の想像的な内的世界と外的世界の物理的現実の中間で遊びは行われると，ウィニコットは述べています。そのため，肘掛け椅子（ひじ）はボートになり，ラグマットは自分を溺れさせようとする海に変わるのです。この「第三の空間」は，自分の精神のように自分がコントロールできるわけでも，外界のようにコントロールがまったく不可能というわけでもないという点で重要なのです。遊びをしている間，人の言いなりになる必要はなく，また，過度に不安になることもなく，外界を形づくることができます（不安が耐えられないほど高まった場合は，途中で遊びをやめます）。

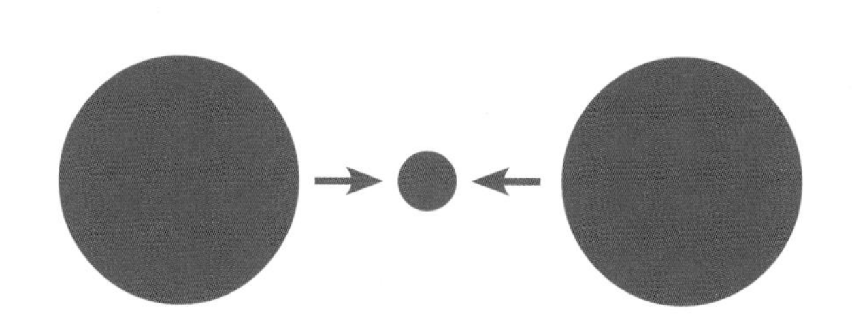

規　則

「遊び」対「生産性」

たいてい大人は，仕事の場で一定の基準を成し遂げることが必要です。一貫性を保って理に適った言動が求められ，目標を達成しなくてはと駆り立てられます。規範に従ったり，成果を上げたりするように迫る，このようなプレッシャーのすべてが，遊びと創造性のどちらにも不可欠な内的世界につながることを妨げます。そういう理由で，Googleなどの企業が職場で遊ぶことを積極的に奨励しているのです。

精神の創造的な状態

遊ぶことによって目的や方向性のない精神状態を体験できるとウィニコットは述べています。これは，開放的でくつろぎながら，周囲を信頼する精神の状態です。自己防衛したり，設定した目標を達成したりする必要がないという，このような条件下では自由連想が発生します。独創的なアイデアの発想を可能にする関連づけを行っていたことに，ふと気づいたりするのです。

遊戯療法

子どもがおもちゃとのやりとりを通してつらい気持ちを探ることができるように，セラピストは子どもを対象にして遊戯療法を用います。遊びには象徴性があるので，子どもは遊びのなかで安全な形で自分の状況を描写し，感情を表現することができます。

ポストモダンの精神分析

フランスの精神分析家ジャック・ラカンは，「自我」や「真理」という言葉が，固定的あるいは単純に使われる際には，いかなる場合にも異議を唱えました。
人間の意識や無意識の精神については，言語的かつ観念的構造から形成されるものとみなしていました。

自己覚知は不可能

人間が「自我」と**感じるものは誤って認識されている**ので，自我が**自らを認識することは決してあり得ない**と**ラカン**は述べています。**乳児**は**主な養育者と自分を同一視しており**（その人物のなかに自分の姿の**鏡像**を見ているということ），そうすることで，**機能的な心的表象**として役立つ**自我の観念**，すなわち「**我（われ）**」を**構築する**のです。「我」を構築する以前は，自分がいくつもの**断片的な衝動**と**欲望**だと感じています。**鏡像段階**で**統一性のある自我**が形成されますが，**他者**（「**我ならざるもの**」）に**根本的に依存する状態**であることもこれまた事実です。

想像的自我

乳児は鏡像段階で発達させる**自我の観念，つまり想像したもの**に比べて自分が「**不足している**」ことに気づくとラカンは説いています。乳児がそう思うのは，**心のなかで自分が自分自身と感じること**と**自分以外の人間に基づいている想像的自我**が**正確に一致する**ことは**不可能**だからです。このことが**不満感**と**怒り**を引き起こし，ついには**自分に対して失望し続ける**ことになり，**羨望**や**不安感**，そして**敵対心**の発生につながります。「**自我**」が**他者に基づいている**がゆえに，**常に達成不可能な想像上の存在であり続ける**なら，「私」が**完全に私自身**になることは決してあり得ないのです。

自己以前の言語活動

乳児にとって**自分が何者であるかという観念**を形づくるものはすべて，**自分の外側**からやってきます。**自己**は**他者**に基づいていますし，**世界という観念**は，**他者の語った内容**によって形づくられています。そして，**世界の知覚を形成する**ために**人々が幼児に世界を説明する際に用いる形式**は，**言語活動**を通した表現です。また，この言語活動は幼児に**先在しています**。また，ラカンは**現実を知覚する**方法を**決める**ものとして，**精神内部にある三つの領域**を挙げています。その三つとは，**現実界**（**言語活動以前の体験**），**想像界**（**想像的自我**のような**ファンタジー**），**象徴界**（**言語活動**と**社会のルール**）です。

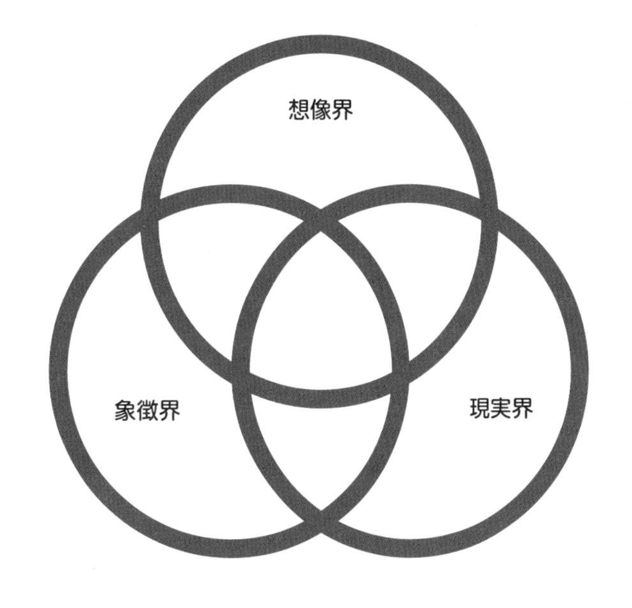

精神疾患の神話

ハンガリー系アメリカ人の精神科医トーマス・サスは,「精神病」という考え方の正当性を否定する「反精神医学」と呼ばれる運動を起こしました。

精神疾患は概念に過ぎない

サスは，**精神疾患**は**客観的な真実**や**事実**，または**「もの」ではなく**，単なる**理論的な概念**であると主張しました。たとえば，かつて人々が**魔女が凶作を「引き起こした」**と言ったのと同じように，私たちも精神疾患によって引き起こされた**行動**にもかかわらず責めてしまうかもしれません。

脳の病気？

「**精神疾患**」のなかには**脳の疾患**（**梅毒によって発症するようなもの**）もありますが，**精神疾患のすべての形態を脳の疾患**や**損傷**とみなし，**薬**（**抗うつ剤**など）**が解決策**であると考える人もいます。しかし，**視力の障害**を**神経系の病変**からたどれても，**クモ恐怖症**の人の原因を同じようにたどることはできません。

価値判断

「Xは**精神症状だ**」と言った場合，それは**判断**を下していることになるとサスは指摘しています。**警察に迫害されていると**いう人がいても，それが**真実ではない**と観察者が判断した場合，**精神的な症状に過ぎない**のです。**医師**は常に，その人の「**症状**」とその人が暮らす社会の**考え方や概念**，**習慣**，**信念**との**比較**をしなければなりません。したがって，「精神症状」は**社会的・倫理的な文脈**と**表裏一体の関係**にあります。

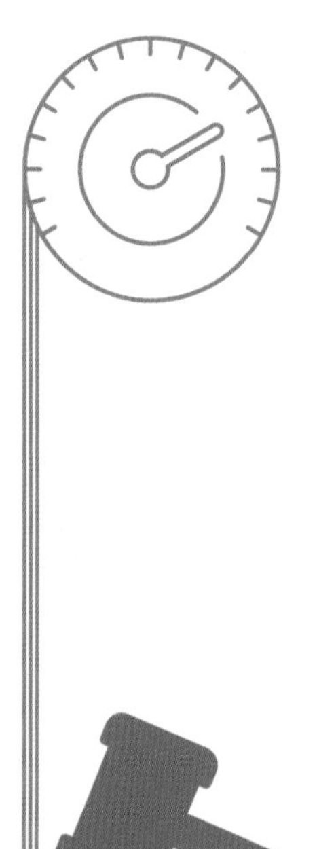

パーソナリティ障害？

別の見方として，精神疾患は**パーソナリティの障害**であると述べられることがあります。この考え方は，すべての人が**社会的に調和している**ということが**基準**になります。そのため精神疾患は，**精神疾患の原因**であると主張することになっています（**原因**であることと同時に**結果**であることはあり得ません）。

5 精神分析

交流分析（TA）

カナダ系アメリカ人の精神分析家エリック・バーンは，世界の中の異なる存在様式と人との異なるあり方を示すために，人々の間の交流を理解する方法を提唱しました。

自我状態

バーンによると，**精神機能**と**社会的行動**は，**人生で培ってきた固有の精神状態**と関係しています。私たちは**どんな状況**でも**同じ人間ではありません**。**だれと一緒にいる**のか，また**置かれている状況**に応じて，**話し方**や**行動が異なります**。これは**異なる自我状態の間を移動する**ためです。バーンは，「**関連する一連の行動パターンを動機づける感情のシステム**」と記述しています。

親，成人，子ども

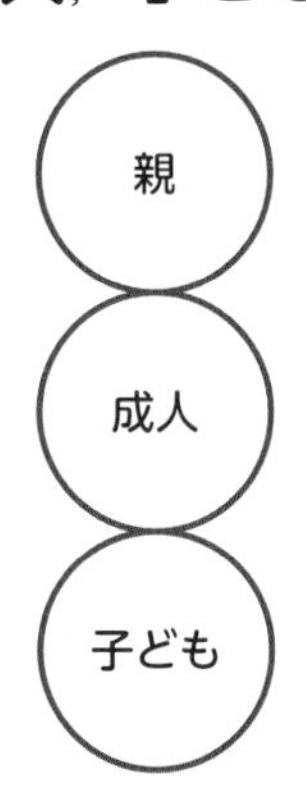

自我状態には3種類あります。それは，「**親**」「**成人**」「**子ども**」**です**。例として，バーンは，**妻**について話し合うときに「**大きな独断的な口調**」「**厳しいまなざし**」で話していた男性を描写しています（**親の自我状態**）。ほかの場面で，同じ男性は，**友人と大工の問題**を話しているとき，「**淡々とした口調**」で話していたこともありました（**成人の自我状態**）。そして，**セラピスト**へ支払う料金のことで他者を**あざ笑う**ときは，「**軽蔑の笑みを浮かべて……誇らしげにリーダー**のほうを向いている」状態でした（**子どもの自我状態**）。

現実の人物に基づいて

自我状態は**現実の人**を表しているとバーンは述べました。私たちは，生活のなかで**さまざまな権威者**を反映した**親の状態**を発達させます。**成人の状態**は，**私たちと同等の地位や知識**をもっていると思われる**合理的な**人物との**交流**を反映しています。そして，**子どもの状態は，私たちが子どもの**頃に**考え，行動していた交流**を反映しています。

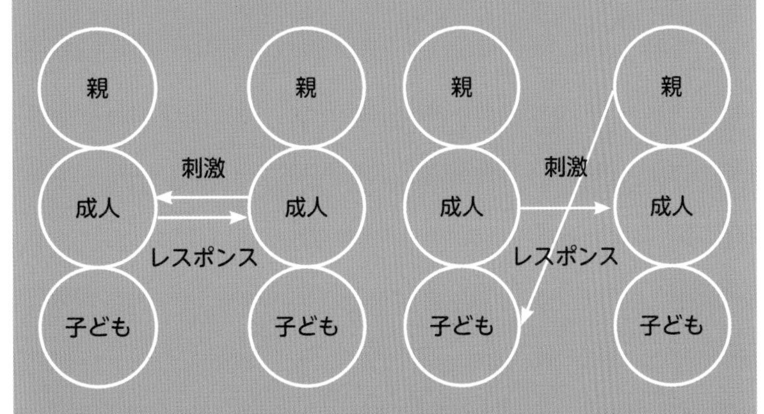

直接的交流

私たちは，**親同士**（例：両者とも**責任がある**），**成人同士**（両者とも**理性的**），**子ども同士**（両者とも**ふざけている**）なら**何の問題も発生しない**ように話せます。

交差的交流

最初の人がある状態から話し，2番目の人が別の状態から**返信する**ときに発生します（たとえば，「この棚の**どこが悪いのか見つけよう**」と言うと「**あなたはいつも私を批判していますね**」と不評として受け取られます）。

社会心理学

社会心理学は，私たちがどのように他者とかかわり，理解していくかについて研究する学問です。

社会的交互作用

私たちは，**日常の些細な出会い**，**教師と生徒**，**上司と従業員**などの**特定の役割関係**，**家族**や**友人**のような**親密な関係**，そして**ソーシャルメディア**を通じて，さまざまな方法で他者と**交流しています**。これらの**交互作用**には，それぞれ独自の**慣習**や**社会的過程**があります。**社会での成長**を通じて，これらの慣習を**学ぶこと**で，**社会生活**などに**十分に参加**できるようになります。

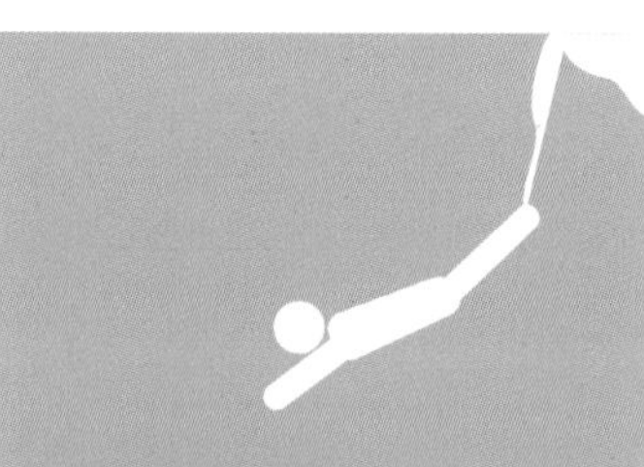

社会的思考

成長するにつれて，私たちは自分の**社会的世界**についても**理解を深めていきます**。どのような**行動が期待される**のか，**人がなぜそのようなことをする**のかについての原因の帰属（96ページ参照）の仕方を学びます。共有できる**世界観**や**社会的表象**を**発達**させ，それらによって**世界がなぜこのようになっているのかを説明**します。

社会的集団

社会的集団に所属することは，**人間であることの本質的な部分であり，私たちがすることすべてに影響を与える**可能性があります。私たちは**生来，世界**を**「彼らと私たち」**の**観点**から**見る傾向にありますが**，それぞれが**多くの異なる「彼らと私たち」のカテゴリー**に所属しており，**その区別**は**状況に**応じて**変化します**。**操作する**ことはできますが，**自動的に紛争につながるわけではありません**。

非言語的交互作用

私たちは常に言葉を使わずにコミュニケーションを取っています。

ボディランゲージ

ボディランゲージには，**姿勢**，**アイコンタクト**，**ジェスチャー**，**表情**があります。私たちが**どのように感じているか**，起こっていることについて**何を考えているか**，**意図は何か**などの**情報を伝える**ためにボディランゲージを使用しています。

身体的姿勢

もともと「**態度**」という言葉は，私たちが**とっている身体的姿勢**を意味していました。ところが，私たちの**姿勢**が，何を**考え**，どのように**感じている**のかを**示している**ため，「態度」の**意味が変わってきました**。

アイコンタクト

だれかと目が合うことは，**強力なシグナル**を意味します。何かに対する**共通の反応**を示すため，**話者が交替するタイミングを示したり**，**脅しのジェスチャー**として，あるいは**愛情の合図**として使用したりします。

ジェスチャー

どの国の文化にも，独自の**特徴的なジェスチャー**があります。**合意**や**意見の相違**，**招待**，**拒否**，**要求**，あるいは**だれかがおかしいと思っているかどうかの合図**をすることもできます。

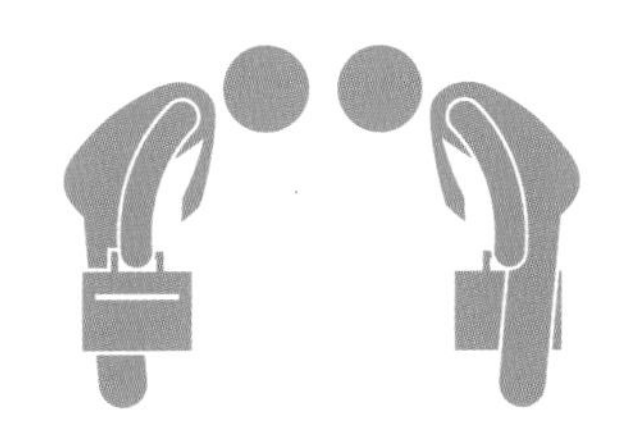

表情

世界中の人間に共通している基本的な表現があります。それは，**微笑**，**嫌悪**，**驚き**，**喜び**，**恐怖**，**怒り**です。しかし，**一部の文化**では，**日常のコミュニケーション**で**表現しすぎることは無礼**にあたると考えられているところもあります。

一般的脅威？

長時間「見続ける」ことは，**人間**だけでなく**動物**にとっても**脅威のジェスチャー**となります。**進化論的**には，長く**注視する**ことは，**攻撃**の可能性を示唆しています。

6 社会心理学

象徴的コミュニケーション

私たちは，ほかの直接的ではない非言語的なコミュニケーションの形を使っています。

コスチューム

私たちが身につけている服は，私たち自身についてのステートメントです。自身の選択だけでなく，私たちの文化，環境や気候，さらに私たちの仕事についてのメッセージを伝えてくれます。また，お互いにどのように交流するかにも影響を与えます。たとえば，日常会話では，普通の服を着ている人よりも，制服を着ている人とのほうがより距離を空けています。

儀式

儀式もまた，非言語的コミュニケーションのもう一つの重要な側面です。儀式は，社会的な所属や人々のグループ内での共通理解を伝えるものであり，あらゆる人間社会で見られます。儀式には，国葬のような社会的なイベントから，結婚のような宗教的・文化的なイベント，さらには家族や小集団のなかでの従来の慣習，祭りなどにかかわる身近なものから伝統的なものにまで広がっています。

明示的シンボル

コミュニケーションのなかには，確立されたシンボルを通して行われるものもあります。たとえば，信号機はドライバーに特定の指示を伝えるものであり，運転の学習の一環として，道路標識に慣れることが必要です。シンプルな画像を使って特定のメッセージを伝える絵文字は，象徴的コミュニケーションのなかでも特に広く使われています。

言語的コミュニケーション

言語は，私たちがコミュニケーションを取るための最も強力な方法です。

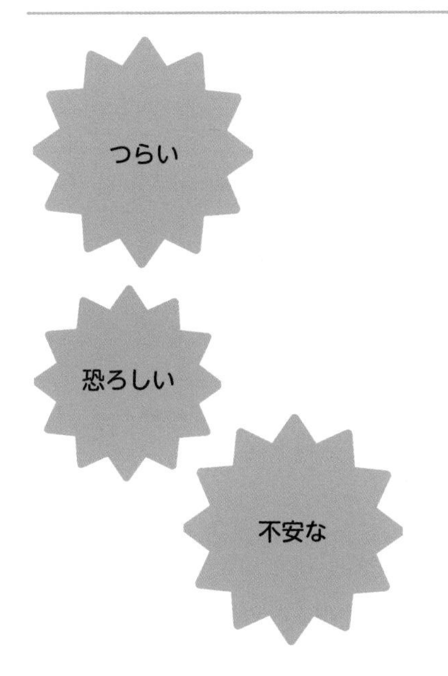

情動的な言葉

言葉は，辞書での定義よりもはるかに豊かな意味を伝えることができます。言葉のなかには，私たちに情動的な反応をもたらすものもあれば，政治的な判断や社会的な判断を示すものもあります。たとえば，私たちが統治体を「政府」と表現するか「体制」と表現するかは，社会的な受容性や責任に関する判断を意味しています。私たちは感情的な言葉に気づかないかもしれませんが，情動的な言葉は，私たちが聞いたことをどのように理解するかということに対して影響を与えます。

会話分析

会話を分析すると，表面に現れる以上に多くの情報が交換されていることがよくわかります。一時停止の頻度や交替のタイミングによって，心理的または社会的な底流が明らかになります。

パラ言語

会話の参加者は，言葉だけでなくパラ言語も使います。これらは，声のトーン，「うーん」や「えー」のような音，予期せぬ間の取り方など，物事がどのように言われるかという側面です。パラ言語はコミュニケーションを取るうえで非常に重要であり，文章を書くときには句読点や強調を用いることによって，話し言葉に伴っているパラ言語の代用をしなければなりません。

談話

物事について話すことは，私たちの経験を再形成することができ，会話は態度や考えを変えることができます。談話分析は，私たちが自分の経験をどのように組み立てるか，また何のために談話を使っているのか，つまり対人的，社会的，政治的な機能に関係しています。

帰属

帰属とは，物事がなぜ起こるのか，その原因を示すものです。

帰属の次元

帰属可能：

- **グローバルか，または特定的か**：**一般的**に適用されるのか，**特定の状況**にのみ適用されるのか。
- **制御可能か，制御不可能か**：**影響**を与えられるか，与えられないか。
- **属性的か，状況的か**：私たちの**性質**や**パーソナリティ**のせいか，**状況**のせいか。
- **安定しているか，不安定か**：今後も**起こる可能性が高い**か，**一時的**なものなのか。

根本的な帰属の誤り

私たちは**自分自身の行動**については**状況に帰属**させますが，**他人**の行動については**属性的な帰属**を行います。**自分の車に擦り傷がついた**場合，それは**周囲に車**があったために，上手く**ハンドルを切れなかった**からという理由になります。しかし，**友人が車に擦り傷をつけたら**，彼の**運転**が**不注意**だったからになるのです。これは信じられないほど**よくある帰属の誤り**です。

自益的バイアス

私たちは，**自己の行為を正当化する**ために，**自分自身への帰属**を行います。それは，**自分をよりよく見せる**ための助けとなっています。

帰属スタイル

抑うつ的な人は，**全体的に安定した，制御不能な属性**（「**物事はどこでもいつでも同じで，**それについて**できることは何もありません**」）を付与することが多いのです。しかし，一部の人は，**不安定で，特定的で，制御可能な帰属**を付与します。そのパターンは**ポジティブなメンタルヘルス**と密接に**リンクしています**。**帰属療法は，抑うつ病の人**がより**ポジティブな属性スタイルを身につけられる**ように**支援すること**に焦点を当てています。

社会的スクリプト

私たちは他者の単なる行為だけではなく，全体的な行動パターンを学びます。

スクリプト

社会的スクリプトとは，**社会的に許容される行動**についての**潜在的仮定**を指します。**さまざまな状況**で**期待される行動パターン**を述べて，**私たちの行為を導きます**。たとえば，通勤者としての行動は，**友だち同士の交流会**において期待される行動とはまったく違うパターンです。

無意識的な仮定

社会的スクリプトは**内在化**されており，通常は**まったく意識されません**（他者が**スクリプトを破り**，それが一瞬にして**注目を集める**ときまでは）。たとえば，**通勤**途中の電車で突然**大声で笑い始め**たり，**冗談を言い始め**たりする人は，すぐに**社会的な反感**を買います。また，**レストラン**で**メインの食事の前にデザート**を頼む人は，すぐに**おかしな人として分類されます**。

留意事項

社会的スクリプトも，また私たちが何に気づくべきかを決定します。とある実験で，実験参加者は**家に関する映像を鑑賞**するよう求められました。映像は，「**空き巣**」か「**家を購入する人**」のタイトルで鑑賞されたので，このタイトルに添うようにプライムされます*。鑑賞後に彼らに映像の詳細を確認したところ，「空き巣」か「家を購入する」の**タイトルに合った情報をそれぞれが記憶していたことがわかりました**。

＊プライムする：直前の経験が後の処理に促進あるいは抑制効果を示すようにする

メディアモデリング

私たちは**生涯を通じて社会的スクリプトを学び続けています**。そして，**メディア**は**社会的行動**を示す**強力な影響力**をもっています。しかし，**暴力的**または**否定的な社会的スクリプトも強調されており**，それらは**日常生活のなかでの人々へのかかわり方に強い影響**を与えています。

社会的表象

社会的表象とは，文化や社会集団が共有する説明のことです。

共有された社会的信念

社会的表象理論は，**セルジュ・モスコヴィチ**によって発達しました。彼は，**自分自身の経験から得た信念**よりも，**異なる文化，社会，社会集団**によって**共有されている信念**が，**私たちの行為**に対し**強力な影響**を与えうることを示しました。

地球は平面だ

日常的な説明

社会的表象は，**なぜ人生がそのようなものであるの**か，**なぜ物事が起こるの**かについて説明しています。ですから，**社会的行為を正当化**し，**社会的世界を理解する**のに役立ちます。そして，**大規模なイデオロギー的信念**から，**小さなグループ**が保持している**仮定**や**アイデアの小さなセット**まで，範囲は異なります。

操作にオープン

社会的表象は，**政府によって操作される**ことが多く，歴史のなかでは，このような操作が**隣人同士を敵対させた例が数多く**あります。

社会的表象の構造

社会的表象には**中心的なコア**があり，**もしそうであれば**，それは**変化が非常にゆっくりとした**ものです。また，**異なる社会状況や仮定を反映して変化する周辺要素**ももっています。

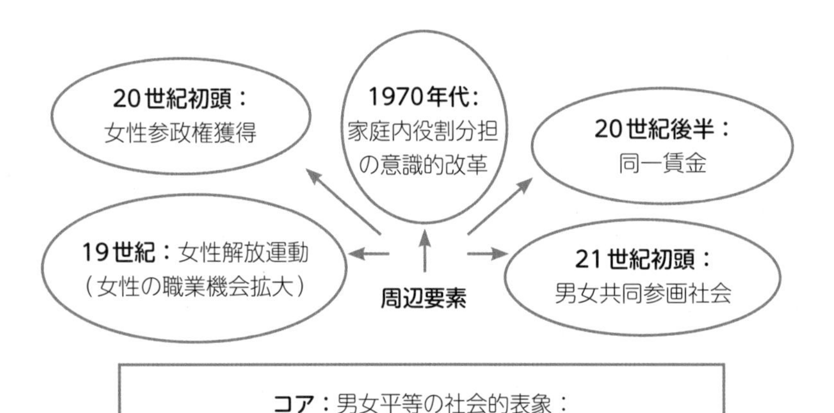

社会的表象のシェア

社会的表象は，多くの場合，**特定の対象物**や**出来事**と結びつけられ，**遺伝子組み換え食品に反対するキャンペーンで使用される「フランケンシュタイン・フード」**という言葉のように，客観化することによって伝達されます。それらは**人格を付与**され，今でも**「サッチャー主義」**と呼ばれる**イギリスの経済政策**のように，特定の個人とリンクさせることもできます。

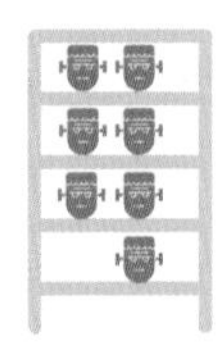

態度

態度とは，人々のグループやイベントの種類とどのような関係を結ぶのかに影響を与える一種の心的構えです。

態度の次元

伝統的な態度は三つの主要な次元をもっていると見られています。

- **認知的次元：態度のための信念と合理化**
- **感情的次元：情動的な反応と応答**
- **行動次元：態度に応じた行為の準備性**

態度と行動

私たちは**いつも言葉にしているような態度で，行為するとは限りません。諸研究では，特定の社会集団**に対して**偏見**に満ちた態度を示す人が，その集団の特定の人物に会ったとき，文化的で好ましい現実的な行為を示すということを明らかにしています。

態度の測定

リッカート尺度は，**態度を測定する一般的な方法**です。これは**7段階**（または**5段階**）のスケールで，態度を示す文で始まり，評定者がそれに対する反応を評価することができます。

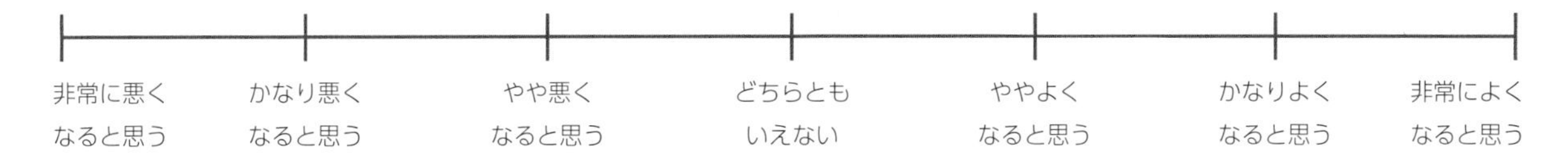

態度の機能

態度とは，**主に四つの目的**を果たすと考えられています。

- **知識** – 私たちの**経験**に**意味**を与えたり，**説明**したりすること
- **適応** – 私たちがより**社会的に受け入れられる**ようになること
- **価値的表現** – 私たちに自身の**「内面」を表現**させること
- **自我の防衛** – 私たちが**無意識の真実を認識する**ことから守ること

態度変容

私たちの意識は固定されたものではありません。人生を経るごとに変化していきます。

少数者の影響

モスコヴィチは，**少数派の一貫した影響力**がいかに**態度変容をもたらす**かを示しました。**児童労働廃止**など，ほとんどの歴史的な変化は，**少数派**による**断固とした揺るぎない態度を取り続ける努力**によってもたらされたのです。

認知的不協和

レオン・フェスティンガーは，「人は自分の**態度を一貫性**のあるものに保つようにしようと試みる」と提唱しました。もし，人が**自分たちの態度や信念のいずれかが，別のものと矛盾する**ことに気づくと，**認知的緊張**が生じます。私たちはこれを解消するために，**態度や信念を変容して解決しなければなりません**。

説得

広告業界は**説得**に特化し，**四つの主要な要因**に焦点を当てています。

- **ソース：信頼**でき，**信憑性**の高いものであることが必要。また，広告では，**著名人の推奨**が含まれていることが多い。
- **メッセージ：情動的**または**ユーモラスなメッセージ**は**影響力がある**。しかし，不思議なことに，**高レベルの恐怖**を誘発するメッセージは，**中レベル**のものほど**影響力はない**。
- **受け手**：なかには**他人よりも説得されやすい人もいるが，自分の価値観に合った議論**により**説得される可能性の人のほうが多い**。
- **文脈：よく知られた象徴主義**と同じように，**音楽，色，背景**のすべてが**私たちの広告への反応の仕方に影響を与える**。

偏見と差別

偏見とは，変化に抵抗するあらかじめ設定された態度であり，通常は敵対的です。

権威主義的パーソナリティ

初期の**偏見の説明**の一つは，**権威主義的なパーソナリティ**です。特に**厳格**で**不寛容なパーソナリティのタイプ**で，**少数派**や**掟破り**，また**反権威的な人物に対して敵対的**です。**パーソナリティ症候群**では，**幼少期の悪質な訓練**によって生じた**抑圧された怒り**が，**社会的逸脱への敵意**として表れていると説明されています。

スケープゴート理論

偏見の**もう一つの説明**は，**苦難や失業**，または**そのほかの社会的困難の原因**について，**誤った帰属**に由来するというものです。**経済システムを責めるのではなく**，**少数**派が**これらの問題を引き起こした責任があると考えられるのです。**

ステレオタイプ化と偏見

人々を「**彼らと私たち**」という観点で見ると，**ほかのグループを同質である**と**ステレオタイプ化してしまう**ことがよくあります。「私たちは**みんな違う**が，彼らは**みんな同じ**だ」というように。そして，**個人**による**否定的な行為**は，**そのグループの典型的なもの**とみなされます。偏見を**減らす**最も**効果的な方法**の一つは，**個人間における個人的な接触を増やし**，**ステレオタイプ**を打ち破ることです。

文化的文脈

特定の時代に**流行した社会的表象**――人々が**社会的に受け入れられるとみなした**もの――は，**社会的偏見を助長**したり**抑止**したりすることがあります。たとえば，**人種差別**は**社会的な表象が変化したこと**で，社会のなかでは**あまり表立ったものではなくなって**きています。

攻撃性

攻撃性を説明するために多くの説が提案されています。

生物学的な命令

コンラート・ローレンツは，**攻撃性**を**生物学的な命令**であり，**紛争**や**スポーツ**によって満たされるものと考えていました。**今はすでに妥当な理論とはみなされていません**が，1930年代には**戦争を説明する**ための**一般的な説明**となっていました。

パーソナリティ特性

研究によると，一部の**犯罪者**は**Y染色体を余分**にもっており，それが**より高い攻撃性**を生み出すことが示されました。しかし，**その後の研究**では，**XYYの男性**は**ほかの男性よりも攻撃的でない**ことが判明しました。

生理学的不均衡

多くの人は，**空腹か**，**痛みがある**と新語の「Hangry（ハングリー）」のように**より攻撃的**になります。また，**糖尿病**のように**生理学的障害**をもつ人たちは，**血糖値**が**バランスを崩している**ときに攻撃的になることがあります。

欲求不満

欲求不満―攻撃理論によれば**攻撃性の個人的な目的の達成が妨げられる**ことから由来します。**路上での激怒**は，古典的な事例です。

宣伝

戦争の社会心理学は，**宣伝**がいかに**国際的レベル**で**対人攻撃**を生み出すために**不可欠であるか**を示しています。それは，**個人的な脅威**の**社会的表象を最大化**します。

社会的学習

攻撃性の多くは，**テレビや映画**，**ゲーム**のなかの**社会的スクリプト**や**社会問題の解決策**としての**攻撃性の社会的表象**の**社会的学習**から生まれます。

グループ間の葛藤

ムザファー・シェリフは，**報酬**や**資源を操作する**ことで，**二つのグループ間の敵対心**がどのように**つくられ**，また**減少する**のかを示しました。

6 社会心理学

社会的同一視

ヘンリ・タジフェルは，私たちの社会的世界を「彼らと私たち」のグループに自動的に体制化する方法を示しました。

社会的アイデンティティ理論

社会的同一視は，**三つの基本的な心理学的プロセス**を含みます。

・社会的カテゴリー化
・社会的比較
・自尊心

社会的カテゴリー化

カテゴリー化は**人間の知覚の生得的な部分**です。私たちは遭遇する**あらゆるもの**（**犬や家具，交通機関など**）をカテゴリー化し，**人間**も同様にカテゴリー化します（**男性や店員，BMWの所有者など**）。私たちは**それぞれ多くの社会的カテゴリーに所属し，多くの社会的アイデンティティ**をもっています。

社会的比較

社会的なカテゴリーを**覚知**するようになると，**自動的に自分のグループと他者とを比較して，彼らがどのように**自分のグループを**評定しているか確認します。**

自尊心

社会的比較を行うことにより，**自分のグループに所属する**ことから**肯定的な自尊心**を育むことができます。また，他者が**自分たちのグループを否定**していると感じたら，**自分たちのグループを擁護します。**

社会的創造性

集団の一員としての自尊心が得られない場合，「**私は彼らとは違う**」からその集団から**距離を置こう**とするか，あるいはその**集団の地位を変えよう**と努力するかのどちらかになります。これは**社会的創造性**として知られています。**障害者の**ような**マイノリティグループは，パラリンピック**のような**社会的創造的戦略**によって，**より可視化され，尊敬される**ようになりました。

社会的役割：スタンフォード監獄研究

フィリップ・ジンバルドーの古典的な研究は，私たちの社会的役割の理解が，いかに強力であるかを示しています。

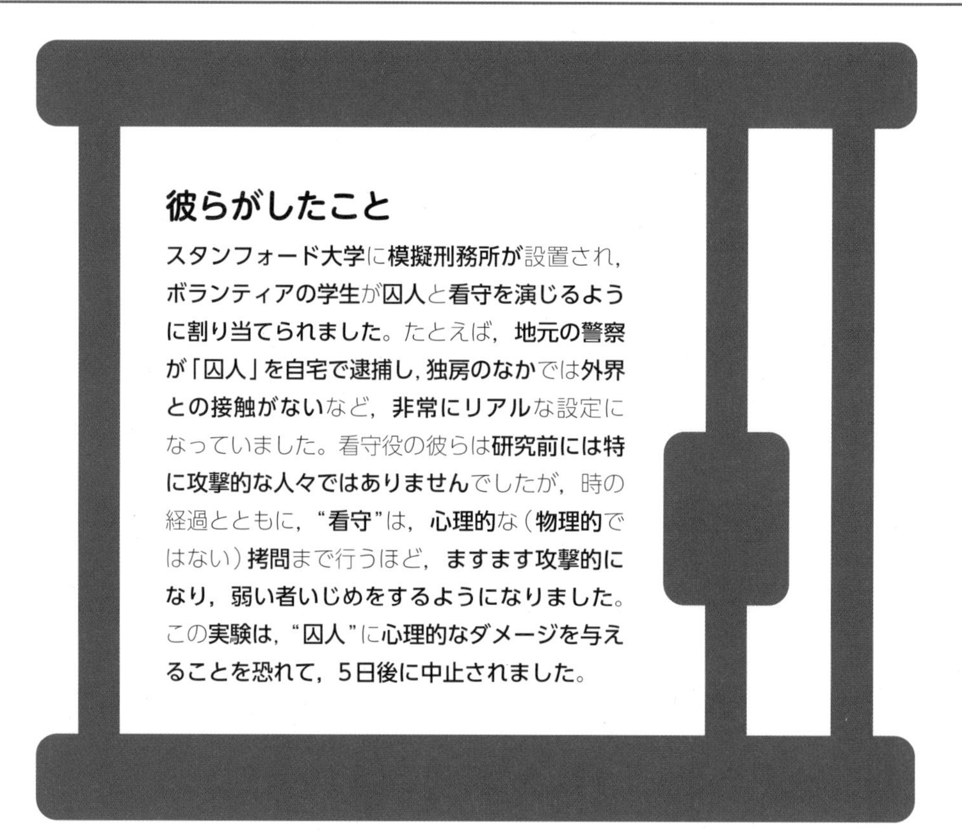

彼らがしたこと

スタンフォード大学に模擬刑務所が設置され，ボランティアの学生が囚人と看守を演じるように割り当てられました。たとえば，地元の警察が「囚人」を自宅で逮捕し，独房のなかでは外界との接触がないなど，非常にリアルな設定になっていました。看守役の彼らは研究前には特に攻撃的な人々ではありませんでしたが，時の経過とともに，“看守”は，心理的な（物理的ではない）拷問まで行うほど，ますます攻撃的になり，弱い者いじめをするようになりました。この実験は，“囚人”に心理的なダメージを与えることを恐れて，5日後に中止されました。

何を見せてくれたのか

スタンフォード大学による監獄実験は，社会的役割の力を示しました。看守は，自分たちの社会的役割が何に関係しているのかを理解したうえで行動していました。しかし，その理解は映画やフィクションから引き出されたものであり，それゆえに，現実の生活では考えられないほど，極端なことが起きたのです。

再評価

その後の評価では，実験者自身の仮説や期待が，「看守」がどのように行為するべきかという，手がかりとなっていたことが示されています。それがなければ，彼らはそこまで極端なものにはならなかったかもしれません。しかし，この実験が示しているのは，役割覚知に関するものであることは，いまだに否定されていません。

傍観者と援助

困難な状況にある他者を見たとき，私たちはどのように反応するでしょうか。

傍観者的無関心

1970年代の研究では，**待合室にいる人が衝突音を聞いたり，隣の部屋で助けを求める叫び声を聞いたりする**など，さまざまな**実験的状況**が取り上げられていました。これらの研究では，待合室で待っている人が**それらの援助要求のサインを無視することが多い**ことが示されています。これは**新聞**で報道された**傍観者的無関心**のほかの**事例とリンク**しており，**傍観者的無関心**が**一般的**であることを暗示しています。

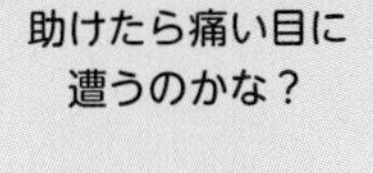

傍観者的介入

その後の研究では，**援助が必要な場合には，人々は時に介入することがある**ことが示されました。これは，**責任の拡散（周囲に多くの人がいればいるほど，一人の人が対応する可能性は低くなる）**の影響を受けており，また，人々が**援助することで起こりそうな結果**について抱いていた**社会的表象**の影響を受けていました。

利他主義と社会的行動

研究が進めば**進むほど，傍観者は困難な状況にある人を無視する**よりも，実際には**助けてくれる可能性が高い**ことが**明らかになってきました**。たとえば，**酔いつぶれている**ような，明らかに**自己誘発的**な困難でも人は**助けてくれます。メディアで描かれたり，実験室で研究されたり**するのではなく，**現実世界**で研究された場合，心理学者は，**傍観者的無関心**よりも**向社会的行動***のほうが**人間の特徴**であることを見い出しました。

＊向社会的行動：他者にとって有益になるような行動のこと

他者の存在

他者の存在があるだけで，行動に影響を与えることがあります。

協働

1898年，**ノーマン・トリプレット**は，**子どもたちが同じことをしている人たちと一緒にいた**ほうが，魚釣りの**リールを速く回せること**を発見しました。彼はこれを**競争的行動**と説明しましたが，**のちの研究者**は，**人が競争しないように指示された**場合でも**同じ効果**があることを発見しました。**同じことをしている他者と一緒に何かをする（協働）**だけでより**速い行動を刺激することができた**のです。

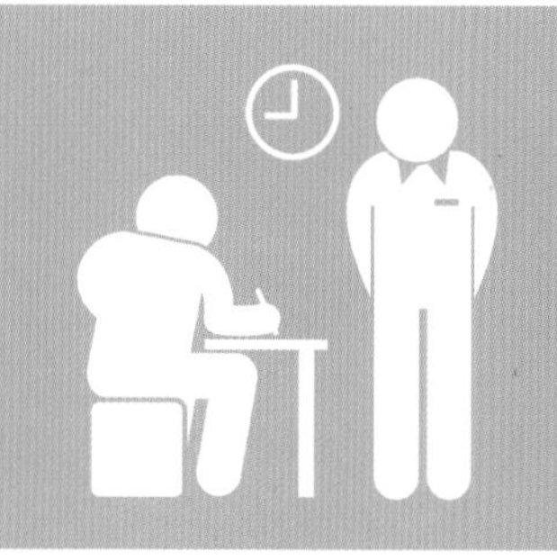

観衆効果

その後の研究者たちは，これらの効果を**より詳細**に研究しました。彼らは，**観衆**がいると**課題の遂行が速くなる**が，**ミスも多くなる**ことを見い出しました。他者の**存在は彼らの行動を活性化させましたが**，**常にポジティブというわけではなかった**のです。

観察効果の研究結果

研究によると，以下のような効果が見られました。

- **少ない観衆**よりも**大勢の観衆のほうがより効果的**でした。
- **身分の高い**人々を含んで構成された観衆は，**普通の人々**で構成された観衆よりも**効果的**でした。
- **集団での遂行**よりも，**単独での遂行**のほうが，**より大きな観衆効果**を生み出しました。
- 観衆効果は，自分が**評価されている**と感じている人に**一番極端**に表れます。

社会的怠惰

群衆のなかにいることは時に**私たちの行動に活力を与えます**が，**逆の効果**をもたらすこともあります。それは集団のなかではあまり**努力しない**人も見受けられるということです。それが**社会的怠惰**として知られている現象です。

服従

スタンリー・ミルグラムの古典的な研究は，普通の人々が
どのようにして極端な行為をするようになるかを示しています。

彼らがしたこと

ミルグラムは，学習実験で「先生」や「学習者」になるボランティアを，募集しました。「先生」は単語のリストを読み上げ，別室にいる「学習者」は先生と同じ内容を読むことを繰り返さなければなりません。もし「学習者」が間違ったら，「先生」は彼らがミスをするたびに強度が増していく電気ショックを与えなければなりませんでした。「先生たち」には知らされてはいませんでしたが，「学習者」はいつも感電に反応するふりをし，演技をしていたのです。

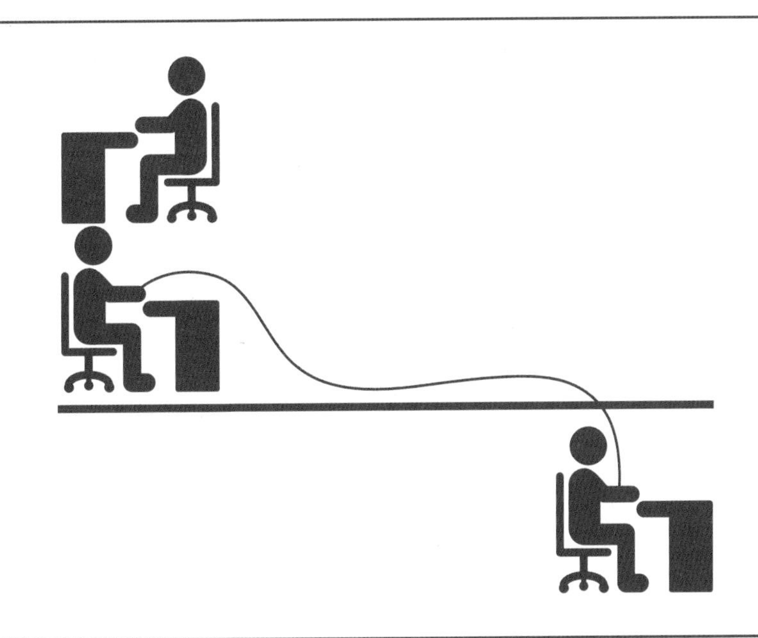

何が起こったのか

「学習者」は何度か失敗し，（偽の）衝撃が激しくなると泣きながら「心臓が弱っていく」と言って解放を求めました。「先生たち」は止めてくれと懇願しましたが，実験者は続けるしかないと突っぱねました。300Vになると「学習者」は無言になりましたが，実験者は無言は不正解であり，まだショックを強めるべきだと主張しました。「先生たち」の3分の2は，「学習者」を殺してしまうかもしれないと思いながらも，最後まで続けました。

結果が示唆していること

この学習実験による「殺人者」になりうる人の数は，多くの専門家に衝撃を与えました。この研究は，たいていの人たちがいかに権威に服従し，それが正しいと信じているかを示していました。これはナチス・ドイツで多くの人たちが考えることなく，権威に服従する結果を招いたことと同じだと考えられます。

同調

ほとんどの人の場合，挑戦するというよりも人と一緒に行くことを好みます。

アッシュの研究

1951年，ソロモン・アッシュは，他者との意見の相違を公然と避けるために，人々が偽りだと知っていながら口にすることを示す一連の研究を報告しました。彼は実験に参加した人々を6人のグループに分け，長さの異なる線が書かれたカードを見せて，どの線が刺激線と一致するかを同定するように求めました。グループの5人のメンバーは研究協力者であり，明らかに間違った答えを出しました。そして実際の参加者の76％は，少なくとも1回は研究協力者と同じ答えを出していました。しかし，声に出して言うのではなく，自分の答えを書き留めなければならなかった場合，だれも多数派の人に同調する人はいませんでした。

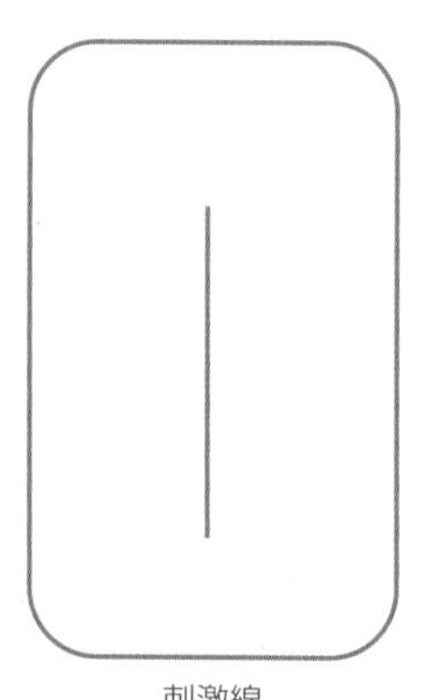

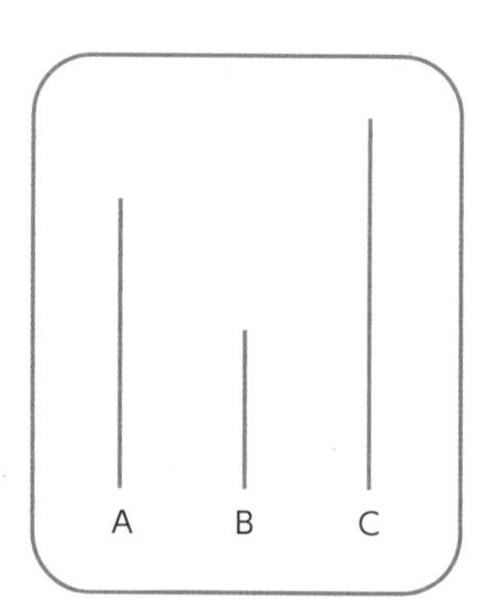

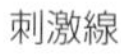
刺激線

身体的反応

アッシュの実験参加者は試行中に極度の不安を示し，この後の研究では，他者と対立したり，反論したりする必要があるときに生理的なストレス反応を示すことが明らかになりました。これは，社会的動物としての人間の進化に由来すると考えられています。

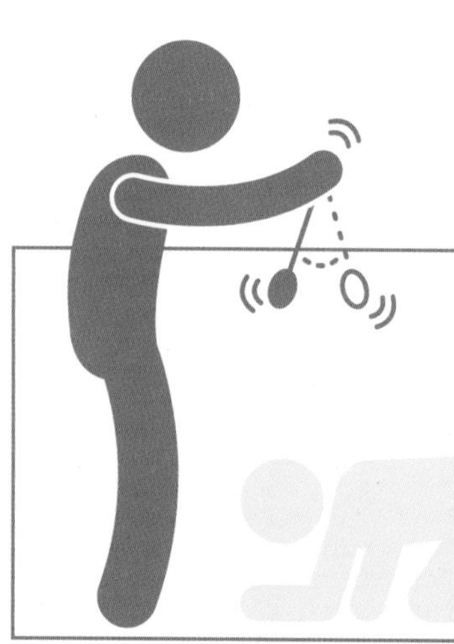

催眠法

催眠法は，私たちの同調する傾向がいかに強力であるかを示しています。催眠にかからない人もいますが，非常に「暗示にかかりやすい」人もいますし，催眠術師が暗示をかけていることに従っているので，彼ら自身が驚くことがあります。また，ステージ催眠術師は，観衆から暗示のかかった人々を選ぶことに非常に熟練しています。

対人認知

いくつかの要因が，私たちが他者をどのように知覚するかということに影響を与えます。

第一印象

他者について**最初に得た情報は，後から得た情報**よりも，私たちに**大きな影響を与え**ます。**一次的効果**は，非常に**表面的な印象**（**服装や顔の表情など**）に基づいているかもしれません。そして，**パーソナリティ**や**キャラクター**に関する**私たちの判断に影響を与える**ことがあります。さらに，**雇用**や**有罪**など，より**深刻な決定**にも影響を与えます。

ハロー効果

私たちは時々，ある人を**本来の人物以上にポジティブに捉えてしまう**ことがあります。なぜなら，それらは**ほかの肯定的な出来事や経験と関連している**からです。これは**ハロー効果**として知られています。

暗黙のパーソナリティ理論

だれかがやっている**仕事**のような，非常に**小さな情報項目**でさえも，**暗黙のパーソナリティ理論**を引き起こす可能性があります。**暗黙のパーソナリティ理論に関する結果のメタ分析**では，**知的能力**（例：**「明るい」**または**「普通」**）と**社会性**（例：**「友好的」**または**「易刺激的（いしげきてき）*」**）という**有意な2次元**が同定されています―**研究が1960年代のアメリカの学生を対象に行われていたこと**がこの結果に影響を与えたかもしれません。

＊易刺激的：怒りやすい，イライラしやすい傾向のこと

ステレオタイプ化

私たちには**生来，情報をカテゴリーに分類する傾向**があり，それには**人間も**含まれています。また，**ステレオタイプ化**は，**類似性を強調し，個人の違いを見失わせてしまうこと**もあります。**一部の人は他者よりも本質的に優れている**という**考えとリンクしている**と，それ自体非常に**問題**になります。

社会的自己

私たちの自分に対する考え方は，自分で思っている以上に他者の影響を受けています。

自己概念

自己についての西洋の考え方は，他者から切り離された個人としての自己概念を強調する傾向があります。しかし，ほかの多くの国の文化では，自己は社会的文脈のなかに組み込まれていると考えられています。私たちの周りの他者は，自己をつくるものの一部ということです。

ピグマリオン効果

西洋文化においても，社会的な影響は自己概念に影響を与えます。研究では，社会的受容性を高めることで，私たちが自分自身をどのように見るか，また，他者からの見方をどのように変えられるかが示されています。これはピグマリオン効果として知られています。私たちは他者の行動や態度に一致する自分自身を形成します。

自尊心

自尊心とは，自己概念の評価的な部分であり，自分自身をどのように判断するかということです。私たちは通常，理想的な自己と比較して判断し，どのように行為すべきかについての個人的な基準を設定しています。非現実的に高い基準をもつ理想的な自己は，絶えず失敗感を感じさせることになるため，その人に一時的に感情を露わにしてしまうような情動的な問題を生み出してしまいます。

自己像

自己像は，自己概念の記述的な部分であり，（通常は）合理的な事実に基づいています。私たちは自分自身の内的自己像をもっていますが，社会的なイメージを他者に投影していて，それが自分自身の本当の姿を反映しているかどうかは，わかりません。

発達心理学

発達心理学は，人間が時間の経過と共にどのように変化し，成長していくのかを扱います。

乳児の発達

乳児の研究は，私たちが**生まれたときから**いかに**社会的である**かについて示しています。つまり，**他者**と**交互作用し，他者から学ぶ素質をもっている**のです。乳児は，**筋肉を動かして意図的な行為**をしたり，周囲の**物理的な世界を意味あるものとしたり**しています。そして自分の**面倒を見てくれる人たち**と**交互作用する**ことを学び，つなぎ合わせて彼らは世界を理解します。

児童の発達

児童心理学は，**遊び**や**家族との交互作用**，そして**年長者**の**支持**や**教育**を通し，児童がどのようにして**技能，知的能力，社会的コンピテンス**を発達させていくのかを研究します。**初期の心理学者**は**発達段階理論**を展開する傾向がありましたが，**最近では身体的・心理的発達**を可能にする**児童の世界**との**交互作用**を**支える社会的・認知的プロセス**に関心が寄せられています。

生涯発達

発達は**成人になったら終わるわけではありません。**私たちは**生涯を通じて成長し，変化し続けています。発達心理学**には，**乳児期**から**老年期**までの**生涯にわたる**変化も含まれています。**生涯心理学**は，**社会的文脈，返報性***の**影響，社会的複雑性**が**加齢とともに**どのように変化していくのか，また，私たちが**自分自身の人生**のなかでどのように**活動的な存在**となっていくのかに重点を置いています。

＊返報性：二人の間で他方にしてもらった好意に対して同じ様に好意を返すこと

自然と養育

20世紀前半は，遺伝と環境のどちらが重要かという点で意見が大きく分かれていました。

「自然」という観点

「まず，あなたの子どもの**個性**が
どのようなものであるかを認識しなさい。
そして，**それを生み出す**（**遺伝**を除き），
あるいは基本的には**それを変えることも**
できるという考えを放棄しなさい」
（A.ゲゼル，1929年）

「養育」という観点

「12人の優秀で**健康な乳児**を私に与えてください。
そして，適確に**私自身がつくりあげた世界で彼らを**
養育させてください。そうすれば，**無作為に一人**を
選んで，その子の**才能，傾向，素質，能力，職業，**
先祖の**人種に関係なく，医師，弁護士，芸術家**など，
私が選ぶあらゆるタイプの専門家になれるように
訓練することを保証します」
（J.B.ワトソン，1930年）

どちらでもない／またはどちらも

これらの引用は，**20世紀前半の議論の主要な典拠**であった**発達**に関する**二つの極端な見解**を示しています。実際，**自然**と**養育**のどちらが**より重要か**という議論は，科学者たちがそれは**ナンセンス**であると認識した後もずっと続いていました。**ドナルド・ヘッブ**は，この**現実**を**「卵」**の**アナロジー***で要約しています。**遺伝を取り上げれば卵は存在しません。環境を奪えば卵は死にます**。卵が**発達する**ためには，**どちらも同じように不可欠**なのです。

＊アナロジー：類似する事がらを推論すること

初期の愛着理論

愛着の研究は，乳児と親の関係がどのように発達していくかについて説明することを目的としています。

生得主義者の観点

いくつかの**動物**の**誕生後に見られる刻印づけ**の研究では，**遺伝的な事前プログラミング**の結果として，**急速に絆**が発達することが示されました。刻印づけがプログラムされている動物の赤ちゃんは**生まれたときから動き回れる**ので，**最初に遭遇した大きな動く対象**に**注目**し，**追従する**ようになりました。**生得主義の心理学者**は，**人間の乳児**と**母親**との間の絆も，同様に**遺伝的にプログラム**されていると主張しました。

行動主義者の観点

一方，**行動主義の心理学者たちは，愛着は報酬（特に食事を与えること）**によって学習されると考えていました。**パブロフの犬のベル**のように，**乳児**は**母親**と**乳とを連合させる**ことを学び，行動主義者はそれが**愛着の理由**だと考えました。

ハーロウのサル

1959年，**ハリー・ハーロウ**は，**隔離されて育った赤ちゃんザル**の研究を報告しています。彼らは「**代理母**」として**二つの模型**を使いました。１体は**裸のワイヤーでできて**いて，もう１体は**やわらかいテリー織の布で覆われて**いました。赤ちゃんザルは**ワイヤーの模型**から**餌をもらって**いましたが，**ほとんどの時間をやわらかいテリー織の布で覆われている模型にしがみついて**過ごし，**警戒させられ**たり**怯えさせられ**たりすると**そこに駆け寄って**いきました。ハーロウは**愛着が食事を与えるだけによるものではない**ことを示しました。

乳児の社会性

人間の乳児は生まれたときから社会的です。

社会的交互作用

ルドルフ・シャファーらが1960年代に行った乳児と家族の動物行動学的研究では，人間の愛着は刻印づけではなく，社会的交互作用によっていることが明らかになりました。乳児は非常に早い時期から社会交互的な接触に反応し，これがのちの愛着の基礎を形成します。

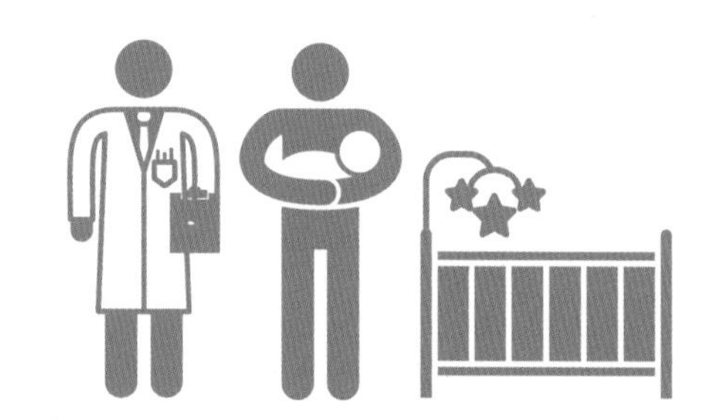

敏感な反応性

重要な発見の一つは，人間の乳児は，生後数日しか経っていないにもかかわらず，複数の人に愛着をもつことができるということです。鍵となるのは「敏感な反応性」，つまり乳児が発している信号に大人が敏感に反応し，乳児がそれに適切に反応しているかどうかです。

交流

乳児の社会性は，成人と乳児間の交流に表れます。乳児は微笑んだり，うなり声を出したりして感情を表現し，成人はそれに反応します。また，表情を変えることや音を出すことを代わりばんこにするのは，交互に会話するのと同じようなタイミングで行われます。これも生得的な社会性の一つなのです。

＊随伴性：二つの事象の間で，一つの事象の生起と他方の事象の生起との関係性のこと

交換

乳児は，「いないいないばあ」や「ぬいぐるみのクマをベビーベッドから投げ出して，パパに何度も拾わせる」といった反復的ゲームを楽しみます。このような遊びは，あることをすると一定の結果が生まれるという随伴性＊を教えてくれます。随伴性を通しての学習で乳児は，他人に影響を与えたり，物事を実現したりできる主体としての自分自身であるという感覚を発達させます。

母性剥奪

愛着をめぐる20世紀半ばの議論は政治的な要素が強いものでした。

政治的な議論

ティーンエイジャーが注目を浴びるようになり，**高齢者が規律の欠如**を**嘆く**といったように，**1950年代**には**社会**が**変化**していました。このような状況のなかで，精神科医の**ジョン・ボウルビィ**は，**非行は幼少期の母性の剥奪**から生じ，**恒久的な害**をもたらすという**精神分析的理論**を提唱しました。この理論は，戦後の**帰還兵**に**仕事**が必要とされたため，すぐに**政治的な議論**になりました。そして，**ボウルビィ**は，**ダメージを与えかねない環境**のリストに**働く母親**を含めたのです。

母性剥奪の再評価

マイケル・ラターはこの考えに反論しました。彼は，**非行**には以下のような**ほかの要因が関与**していることを見い出しました。

- **肉体的・精神的な無視**
- **母親に限らない**他人との**良好な関係性の欠如**
- **施設で育てられた**ことによる**全般的な剥奪**（戦後の数年間でこれはかなり**深刻**でした）

ラターの**結論**は，母子関係の**崩壊**を非行のせいにすることは，正当化されないというものでした。

ゆがんだ人間関係からの回復

ほかの研究者は，**初期の人間関係の破壊**によって引き起こされる**障害**は，**養子縁組**や**里親**との**愛情ある関係**によって**克服できること**を発見しました。同時期に，**臨床心理学者カール・ロジャース**は，このような破壊的行動は，**無条件の肯定的関心**を伴う**関係**を通じて，**成人になっても**克服できることを示しました。

愛着

愛着のなかには，ほかのものよりも安全性が高いものもあります。

乳児の愛着

乳児は**生後数日**で人との**関係**を発達させますが，**完全な愛着が形成されるまでには時間**がかかり，通常は**月齢7カ月の頃**に現れます。ひとたび完全な愛着が形成されると，乳児は**特定の人が離れる**と**泣いたり**，**悲しみを示したり**します。

ストレンジ・シチュエーション

メアリー・エインスワースの研究では，**母親から引き離され**，**見知らぬ人**と一緒に**不慣れな状況に**置かれた**乳児**がどのように**反応する**かが**観察されました**。彼女は，乳児が母親から**引き離されたこと**に対してどのように**反応したか**，そして**どのくらい探索したか**を測定しました。

愛着のタイプ

エインスワースは，**主要な3タイプ**の愛着を見い出しました。

- **安定型愛着：**これらの幼児たちは，**自由に探索し**，**見知らぬ人と交互作用し**，**保護者が去っていくのを見ると動揺**しますが，**戻ってくるのを見ると喜びます**。

- **回避型愛着：**これらの幼児たちは，**保護者**と**距離を置いたまま**になる傾向があり，**あまり探索心がなく**，**保護者が去って**も**反応せず**，保護者が**戻ってきた**ときには，**近づく**か**無視する**かのどちらかになる可能性が高いです。

- **アンビバレント型愛着：**これらの幼児たちは，保護者の**近くにいることを好み**，彼らが**去ったとき**はしばしば**かなりの悲しみ**を示しますが，その後は**全く探索しません**。そして，**保護者が戻ってくる**と，**密着してすがりつく**傾向があります。

ジェンダーの社会化

男女平等の必要性を疑う人はいませんが，二つの性はそんなに違うものでしょうか？

赤ちゃん実験

1970年代に行われた**実験**では，**成人**に**赤ちゃんの世話**を**少ししてもらいました。**実際には**同じ子ども**なのですが，**名前**を**ジョーン**と教えられた人もいれば，**ジョン**と教えられた人もいました。**成人**は**呼び名が示している性別により，**赤ちゃんとの**遊び方を大きく変えました。男の子**（ジョン）は，**軽く揺さぶられ**てから**ゴムハンマー**のような**おもちゃ**を手渡され，**活発に遊ぶよう**にさせられました。**女の子**（ジョーン）は，**静かに**させられてから，愛情を込めて**抱き締められる**ようにと，**ぬいぐるみ**を手渡されました。研究者たちは，**性差**が**社会化**され，**幼い頃**から**教え込まれている**ことを示唆しました。

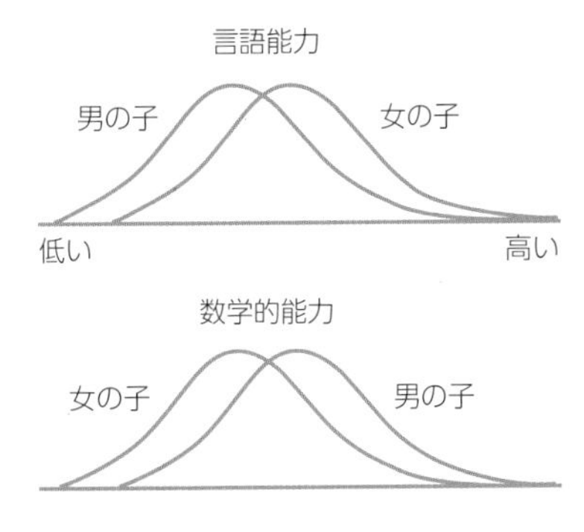

性差

性別によって**生得的な違い**はあるようです。**女子**は**言語能力**に**優れていることが多く，男子**は**数学**に**優れていることが多い**のです。しかし，**かなり重なり合う部分**もあります。**数学が得意な女子**もいれば，**国語が得意な男子**もいるのです。

性の類似性

数百例の**性差研究**についての**21世紀の分析**によると，**男性**と**女性**は，**わずかな例外**（例：**遠投距離**）を除いて，**ほとんどすべての心理的特性**において，**異なる**というよりも**似ている**ことが示されました。また，性差も**成熟する**につれて**均等**となり，**ホルモン**の影響で**若い人**のほうが**より極端に**性差が現れることがあります。

遊び

遊びは身体的，社会的，認知的発達のために重要です。

遊びの機能

遊びは，幼児たちがさまざまな技能やコンピテンスを練習するという重要な役割をもっています。安全な文脈でさまざまなタイプの技能を練習することで，幼児たちは間違いから学ぶことができるだけでなく，繰り返し行うことで身体的・精神的な技能を高めることができるようになります。多くの動物の赤ちゃんも，遊びながら，成人後に必要となる身体的な技能や能力を発達させます。

遊びのタイプ

遊びには以下のような多くのタイプがあります。

- 身体的遊び：登る，走る，敏捷にはって進むなどの行為を伴っての遊び
- 物遊び：おもちゃ，人形，日用品を使っての遊び
- ごっこ遊び：物遊びと関連していることが多い想像的遊び
- 社会的遊び：単にほかの幼児との並行遊び*や活動的な協同遊び*
- 言葉遊び：ジョーク，だじゃれ，韻，または単に言葉の音での遊び

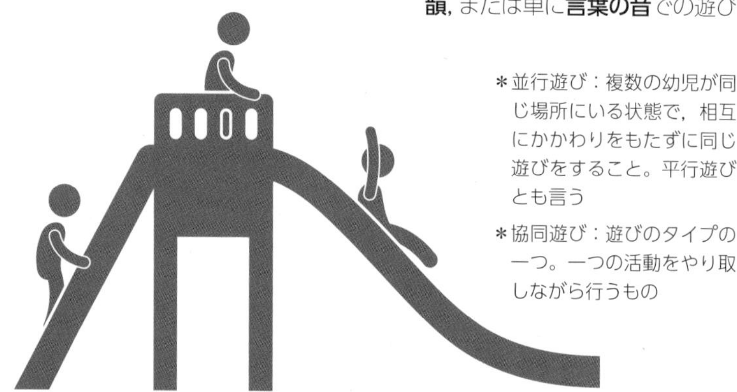

＊並行遊び：複数の幼児が同じ場所にいる状態で，相互にかかわりをもたずに同じ遊びをすること。平行遊びとも言う

＊協同遊び：遊びのタイプの一つ。一つの活動をやり取りしながら行うもの

成人の遊び

遊びの能力が私たちからなくなることはありません。成人は幼児と一緒にゲームをしたり，クイズ，ボードゲーム，コンピューターゲーム，スポーツなどの形式の整った遊びをしたりしています。これらの余暇活動は，私たちが幼児のときだけでなく，生涯にわたって技能や能力が発達し続けることを反映しています。

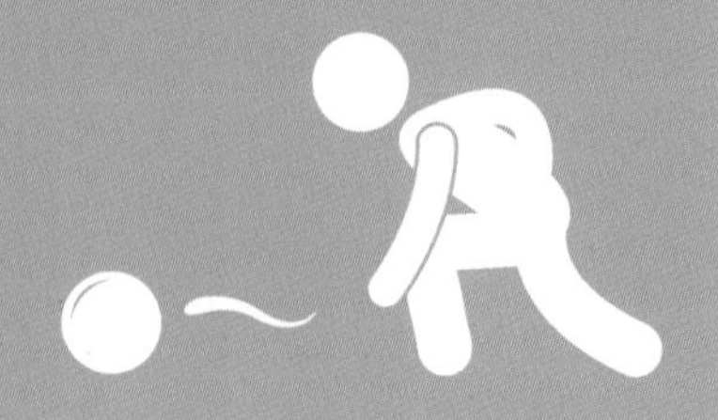

ピアジェの認知的発達理論

ジャン・ピアジェは，20世紀の認知的発達心理学における重要な人物です。

自己中心

ピアジェは，**幼児は生まれたときから，完全に自己中心的である**と考えていました。つまり，幼児の世界はすべて「私」を中心に回っているのです。徐々に**「私」**と**「私以外」**の**区別**が生まれ，それが**最初のスキーマ**を形成していきます。成長するにつれ，彼らは**環境**に対して**ますます複雑な「操作」（結果を伴う行為）を行い，それがより洗練されたスキーマを形成**していきます。ピアジェは，**自己中心性が徐々に低下していく**ことが，**幼児期におけるすべての認知的発達の基礎**であると考えました。

認知発達の段階

ピアジェは，認知発達を**四つの段階**に分類しました。

- **感覚運動期：**この段階では，幼児は**感覚的な情報を解釈し，行為を調整することを学習します。**
- **前操作期：**幼児は**自分の視点**から見ているだけで，**物事がどのように連動するかについて**の**理解**は**限定的**です。
- **具体的操作期：**児童の**思考は，現実的で実用的な世界に限定されて**います。
- **形式的操作期：**児童は**抽象的**または**理論的な認知的操作を行うこと**ができるようになります。

ピアジェの影響

ピアジェの理論は**教育プログラム**に**広く用いられ，20世紀後半**には**多くの教育者に影響を与えました。**しかし，**再評価の結果，幼児の社会的覚知を過小評価していたこと**が明らかになりました。

社会的コンピテンスの発達

児童期の学習の重要な部分は，社会的コンピテンスの発達で他者と効果的に交互作用することです。

ケンブリッジ・プロジェクト

1980年代，**ジュディ・ダン**は，**幼児の理解に関する従来の仮定を疑いました。**ダンのチームは，**遊び場**や**研究室**で幼児たちを研究するのではなく，**家庭**で幼児たちを対象とした**動物行動学的研究を**行いました。彼らは，**幼児の行動**が**従来の研究**で示されたものよりも**はるかに複雑**で**社会的に有能**であることを見い出しました。

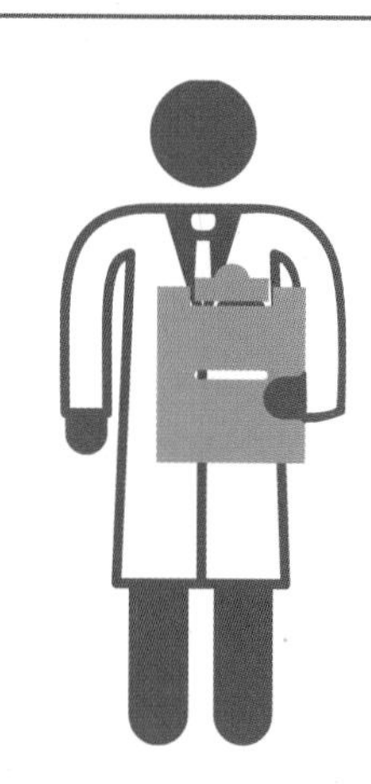

他者理解

とても小さな幼児でも，**ほかの家族をからかったり**，**年上の兄弟とけんかをしたりすること**が判明しました。**2歳**頃になると，**からかい上手**になり，**相手の反応を意識する**ようになります。たとえば，**禁止されているとわかっていることを母親のほうを見ながらやってみたり**，やってはいけないと**言われたら笑ってみたり**するのです。また，**悩んでいる相手を慰めようとする**ことや，**それまで考えられていた**以上に**意図や社会的ルールへの高度な理解**を示していることも明らかになりました。

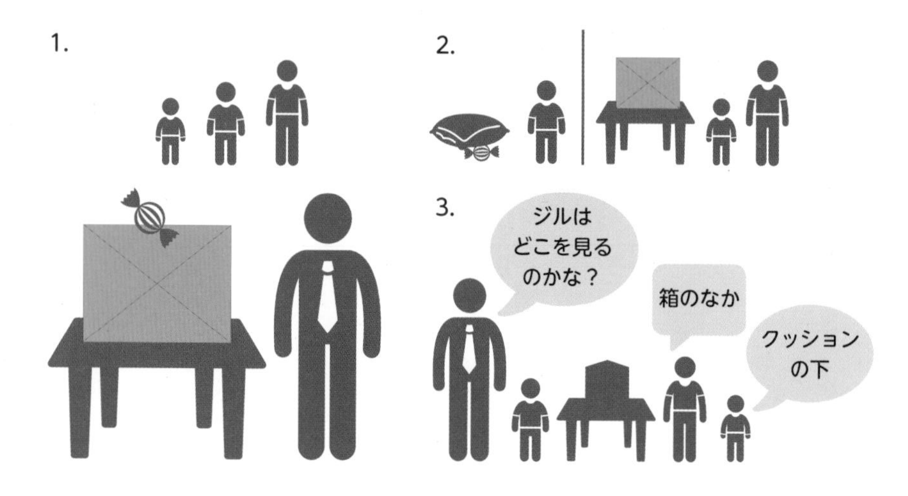

心の理論

ほかの研究では，**幼児たちが4歳**くらいでどのようにして**心の理論を発達させる**のかが示されています。**それ以前は，他者が自分と同じように考えていると思考しています。この時期を過ぎると，他者が違った経験をしていたかもしれないし，違うものを見ているかもしれない**ということがわかるようになります。

ヴィゴツキーの認知的発達理論

ロシアの心理学者レフ・ヴィゴツキーは，文化が人間の発達にどのような影響を与えるかを探りました。

社会的交互作用と言語

1920年代の西洋の児童心理学者が**成熟**を強調していたのに対し，**レフ・ヴィゴツキーは，児童たちの認知発達は，彼らがさらされている社会的交互作用**や**言語**の生産物であると主張しました。ヴィゴツキーの考えが**英語に翻訳されたのは1960年代**に入ってからですが，**それ以降**は**現代教育にも広く取り入れられる**ようになりました。

発達の最近接領域

ヴィゴツキーは，**成熟**はそれ自体では，**世界の基本的な，「原初的な」理解**を生み出すにすぎないと主張しました。しかし，**児童の学習には，他者との接触**を通して児童ができるようになると考えられる**学習を包含した発達の最近接領域が含まれ**ています。それは**公式の教育**によるものかもしれませんが，**家族や友人との交互作用**や，**読書**や**ほかの考えに触れること**でもあります（最近では**メディアの影響**も含まれます）。

成人の重要性

成人や少なくとも**年長者との接触**が児童に提供する（与える）ものは，**アイデアの形成**と，児童の**既存の経験を支え，拡張する追加の情報**です。これらの**精神的な枠組み**は，一種の**認知的な足場**を提供し，児童はそれを使って世界への理解を**深めていきます**。

制御と効力

児童期は，生涯を過ごすための精神的，身体的，社会的なスキルを身につけ，技能の発達の長い期間と捉えることができます。

技能，スキーマと構成概念

児童期に発達させた技能は，**活発な遊び**，**創造的な活動**，そして**手書き**のような**洗練された運動制御の学習**を通して得られた，**身体的なもの**かもしれません。そして，**世界に対処する**ための**さらに洗練されたスキーマ**の発達によって得られた**認知的なもの**かもしれません。また，**他者の行動を解釈する**ために使われる**個人的構成概念**の発達のように，**社会的なもの**かもしれません。

自己効力感

肯定的な自己効力感の信念の発達は，**児童期の発達において最も重要な側面**の一つです。**自己効力感が低い**児童は，**困難に直面したときに努力しても意味がない**と早々に**あきらめてしまう**かもしれません。しかし，**自分は効果的に行動できる**と**信じている**児童は，一般的に**人生の課題に立ち向かう**ための**十分な備えができています。**

統制の所在

肯定的な自己効力感の信念は，児童（または**成人**）に**内的統制***の**所在**を与えます。これは，**ポジティブなメンタルヘルス**の**強力な要因**であることが示されています。それは，**自分たちの状況**を**自分たちの努力でコントロール**したり，**影響を与え**たりできるものだと**考える**ことを意味しています。

*内的統制：行動の結果は自身の能力や努力によって統制できるという信念

道徳的発達

ローレンス・コールバーグは，道徳的な発達についての影響力のある理論を構築しました。

前道徳的段階

前道徳的段階では，児童は**規則に従う**という観点で**道徳的な正しさを**完全にわかっています。**この段階の最初の部分**は，**罰を避ける必要**があることについてです。**そうしなければトラブルに巻き込まれるかもしれない**ので，**正しいことを行う**必要があります。その後，**罰**から**よいこと**は**よい結果**をもたらすという考えに**焦点が変わります**。

慣習的道徳

慣習的な道徳性の発達段階では，**道徳的判断**はすべて**社会的合意**に基づいて行われます。まず，行為は**行為をする人の意図**に応じて，**善悪**を**判断されます**。その後，児童は**一般的な善**に関心をもち，**社会の欲求**に応じて**善悪**を**判断する**ようになります。

自律的道徳

自律的な道徳性の発達段階では，児童は**個人の責任を認識し始め，正しいことと間違いの内在化した良識を発達させます**。**第一部**では，**社会的なルール**や**善悪**の**考え方**が**文化によって異なる**ことを**認識するように**なります。この段階の**第二部**では，**児童**（または**成人**）は，**多元的な社会**と**異なる慣習**を考慮に入れた**普遍的で抽象的な正義の原則を同定できる**ようになります。

発達に及ぼす社会的影響

他人との交互作用は，私たちの成長に強い影響を与えています。

達成動機

児童たちのなかには，ほかの児童たちよりも**うまくやりたいという高いモチベーションをもっている**子がいます。心理学的研究によると，**達成動機は親の励ましやサポートの影響を強く受けること**がわかっています。児童たちの**努力**を**励ます親**は，**単に成功**の**ご褒美を与えるだけの親**よりも**効果的**です。

自己成就予言

他人からの**期待**は，**自己成就予言**を生み出します。**不確実なことでもそれが真実であるかのように振る舞う**からこそ，何かが**実現するのかもしれません。教師に知性がないと思っている児童**は，**学校ではほとんど勉強しません**。また，**音楽好きの親をもつ児童**は，**そうでない児童**より**音楽学習**に**触れる機会が多くなる**ため，**音楽が得意になる可能性がより高く**なります。

文化の違い

どの国の文化にも**児童の育て方**があり，それは世界各国で**大きく異なっています**。このような違いにもかかわらず，**成熟した成人の人間**は**驚くほど似ている**傾向があります。これは，**基本的な学習プロセス**が**本質的に同じ**であることが**主な理由**です。児童たちは，**異なった経験**を経て**学習する**としても**認知スキーマ**，**身体技能**，**自己効力感**などは，**児童期を経る**につれて発達していきます。

心理学的発達

エリク・エリクソンは，私たちが人生のさまざまな時期に出合う心理的葛藤を同定しました。

基本的信頼 対 基本的不信一乳児期
他人を**過度に信頼**しすぎることやだれに対しても**不信感**を抱くことと，他人と**十分に関係をもてない**こととのバランスを確立します。

自律性 対 恥・疑惑一幼児期初期
個人の能力に不信感を抱くのではなく，**個人の主体性**の感覚を発達させます。

自主性 対 罪悪感一遊戯期
罪悪感や**疑念**でいっぱいになるのではなく，**自己責任感**と**率先して行動**することを発達させます。

勤勉性 対 劣等感一学童期
失敗を受け入れて**挑戦を避ける**のではなく，**努力**して**困難を乗り越える**ことを学びます。

同一性 対 同一性混乱一青年期
自分の**明確な感覚がないことに苦しめられる**のではなく，**異なる社会的役割**からの**要求の増加**にもかかわらず，**個人的なアイデンティティ**が**一貫している**という**感覚**を発達させます。

親密 対 孤立一成人期
脅しや**痛みを伴う**ような他者との**緊密な関係を避ける**のではなく，他者との**親密**で**信頼できる関係**を形成します。

生殖性 対 停滞一成人期
停滞して心理的に不健康になるのではなく，**生産的**で**前向きな生活を送り**，**個人的な成果**を認めます。

統合 対 絶望・嫌悪一老年期
自分の人生や業績を，すべて**無意味**で**無駄**なものとして見るのではなく，
前向きに振り返ることができます。

青年期

青年期は「嵐とストレス」の時期とは限りません。

役割の変更

青年期は，役割と責任が変化する時期であり，しばしばその変化を成し遂げることが難しいことがあります。社会的な役割が増え，仲間の重要性が増します。さらに，アルバイトをすることもあり，家族からの期待もより複雑になっていきます。

ストレスは避けられないのか？

青年期は情動的な嵐の時期であるというのが古典的な考え方ですが，これはだれにでも当てはまるものではありません。多くの人は，大きな葛藤や混乱もなく，簡単に青年期を通過します。しかし，大きな変化がある時期なので，神経質な子育てであるのか寛容な子育てであるのかによって，ストレスにかなりの差が出てきます。

ストレスの原因

青年期のストレスに影響を与える有意な要因は，以下の通りです。

- 動的不安定：児童から成人へと体が変化していくなかで，ホルモンの変化からくるものかもしれません。
- 社会的適応：人は異なる，時には矛盾する社会的要求に対処しなければなりません。
- ボディイメージの適応：個人が新しい体型や，時にはニキビなどの新しい問題に慣れる必要があります。
- 社会的イメージへの関心：個人が仲間や他人に自分自身を投影する方法を学習することで起こります。
- 家族間の葛藤：青年期の変化に親などが適応できない場合に起こります。

友人関係

友人関係は個人的な快適さだけでなく心理学的なウェルビーイング（幸福感）をもたらします。

友人関係と脳

私たちが**友人について考える**ときには，**脳**の**四つの主要な領域**が関係しています。これらは，**人の認知，報酬，情動，情動の調節**と関連しており，それらの領域が**一緒に活動する**ことから**友人関係がいかに重要であるか**がわかります。友人関係は，**家族と同じように脳が反応する非常に親しい関係**から，**職場の同僚**や**ちょっとした知人**までさまざまです。しかし，彼らはすべて**心理的な健康を促進する**のに役立ちます。**ちょっとした交互作用**でも**孤独感を和らげ，気分をよくしてくれます。**

ソーシャルネットワーク

私たちの**ソーシャルネットワーク**には，**物理的なネットワーク**だけでなく，**仮想的なネットワーク**も含まれています。私たちは，**クラブ，スポーツ，趣味，そのほかのコミュニティ**を通じて，**他者と出会い**，時には**友情を育んでいます。**このような**ソーシャル・コンタクト**は**私たちにとって重要**です。**オンライン・ソーシャル・ネットワーキング**は，**ティーンエイジャー**や**内気な傾向の人**が**より多くの交互作用**をするのに役立つなど，**多くの利点があること**が明らかにされています。

内気

内気は多くの人に**共通する経験の一つ**ですが，**社会的な交互作用**のための**意識的な方略**を使うことによって，しばしば**克服する**ことができます。**意図的に世間話**や**会話のスキルを練習すること**は，**内気の克服**に**かなり役立つこと**が示されています。

成人期

私たちは成人になってからも，精神的にも肉体的にも成長し，変化し続けています。

成人の発達

人生は変化に満ちています。困難にぶつかり，新しいことを学び，経験や年齢を重ねることで体は変化し，周りの人たちも変化していきます。その結果，私たちは成人になってからも心理学的に発達し続けます。

家族のライフサイクル

これは，家族のライフサイクルの単純化されたモデルです。ほとんどの家族は，以下のモデルが示唆しているよりもはるかに複雑です。

- 蜜月期間：子どものいないカップル
- 養育期間：2歳未満の子どもがいる家庭
- 権威期間：未就学児がいる家庭
- 解決的期間：児童がいる家庭
- 相互依存期間：10代の子どもがいる家庭
- 巣立ち時期：子どもたちが家を出始める
- 空の巣期間：すべての子どもたちが，中年のカップルだけを残して去っていった
- 定年退職期間：家族の成員が退職した

中年期危機

多くの人が中年期危機を経験します。中年期危機では，これまでに自分のやってきたことを見直し，新しい場所に引っ越したり，まったく違う仕事に就いたり，まったく新しい人間関係を築いたりと，人生に劇的な変化が起こります。中年期危機をうまく乗り越えると，しばしば心理学的ウェルビーイング（130ページ参照）が高まります。

ストレスフル・ライフイベント

すべてのストレスが悪いわけではありませんが，ストレスフル・ライフイベントのスケールでは，ストレスに関連したライフイベントに得点を割り振っています。ここでは，いくつかの例を見てみましょう。

イベント	リスク
配偶者の死	100
離婚	73
夫婦別居生活	65
拘留	63
親や近親者の死	63
自分のけがや病気	53
結婚	50
解雇・失業	47
退職	45
妊娠	40
性的障害	39
新たな家族成員の増加	39
財務状態の大きな変化	38
親友の死	37
仕事上の責任の変化	29
息子や娘が家を離れる	29
親戚とのトラブル	29
個人的な輝かしい成功	28
就学・卒業	26
生活条件の変化	25
上司とのトラブル	23
転居	20
社会活動の変化	18
食習慣の変化	15
休日	13
クリスマス	12

このリストに記載されているイベントは，それ自体は**簡単に対処できるものです。**しかし，ある特定の年の**合計ポイントが300ポイントを超える**と，次の年に**重篤な病気にかかる危険性**があります。この**リスク**は，300ポイントを超えると**増加していきます。**

加齢

加齢といっても，その内容はさまざまです。

心理学的ウェルビーイング

加齢というと**ネガティブ**なイメージをもたれがちですが，**心理学的な研究**では，**若い人**よりも**年配の人**の方が**幸せ**であることが多いという結果が示されているようです。これは，**定年退職**に**ポジティブに適応**したことや，**個人的な趣味**や**関心事に取り組む機会**があることも**一因**と考えられます。重要なのは，**ほとんどの人が老後も健康で活動的**であり，人生が幕を閉じる**最後の5年ほどで衰えていく**だけだということを覚えておくことです。

加齢のタイプ

心理学者はよく**年齢を五つのタイプに区別**します。

- **主観年齢**：その人が**自分を何歳だと感じているか**ということ
- **生物学的年齢**：**年齢と共にどれだけ体が衰えていくか**ということ
- **機能年齢**：その人が**活動**や**イベント**に**参加できる程度のこと**
- **社会年齢**：**その人が**ほかの**家族成員**や**一般の人**と**どのように接しているか**ということ
- **暦年齢**：その**人が生まれて**から**どれくらい経っているかということ**（彼らの**実年齢**を年単位で表示する）

役割の数

仕事を辞めると**社会的役割**の数は減ります。**新たな社会的役割を担う**ことで**役割の数を増やしていく**ことは，**心理学的に健康な老後を送るための重要**な要素であり，**加齢を遅らせることに大きく貢献します**。

認知的加齢の側面

私たちの知的能力は，必ずしも年齢を重ねるにつれて衰えていくとは限りません。

加齢と知能

私たちの知能は，実は年齢を重ねるごとに向上していくことが研究で明らかになっています。加齢についての古い研究では，異なる年齢の人々のグループを比較する横断的な方法を用いていましたが，高齢者の経験や教育などが異なることを考慮していなかったため，非常に否定的な結果を得てしまいました。人が生涯にわたってどのように成長していくかを調べた縦断的な研究では，知能は使う限り向上することがわかっています。

記憶と加齢

記憶力は必ずしも年齢と共に衰えていくものではありません。研究によると，実際には引退した人よりも若い人のほうが小さな記憶の失念が多く，年配の人のほうが失念に気づくことが多いそうです。若い人は記憶の失念を受け流して気にしないだけなのに対し，年配の人はその都度気づいて自分が衰えていることを気にしてしまうのです。

認知症

多くの高齢者は認知症を恐れており，放心や失念を最初の兆候と解釈していますが，実はそうではありません。実際には，認知症になる人は加齢人口の10％にも満たないのです。認知症は進行性ですが，エクササイズやそのほかの活動，訓練などによって進行速度がかなり遅くなることが研究で明らかになっています。

個人差

知能やパーソナリティは個性の重要な要素です。

知能

知能の研究は常に**論争の渦中にありました。**たとえば，多くの**IQテスト**では，**特定のタイプの背景**を**もつ人に有利に働く**ことが明らかにされています。これは**特に20世紀前半**に**開発されたテストに当てはまり，白人以外の文化圏の人々，女性，社会経済レベルの低い人々**に対して**明確な偏り**を示していました。**最近のIQテスト**では，たとえ完全にはできなくても，**より文化的，社会的に公正**になるように，**これらの問題に対処しよう**としてきました。

パーソナリティ

パーソナリティの測定は，パーソナリティが個別の特性で構成されているという考えに従う傾向にあります。しかし，**ほかのパーソナリティ論**では，私たちが**自分の世界を理解するための特徴的な方法**や，**過去の人間関係が他者との交互作用にどのような影響を与えるか**について強調しています。

正常

初期の心理学者は，測定できる**正常の基準がある**と仮定していました。しかし，人間はそれよりも**もっと複雑です。ある文化**や**ある地域**では正常とみなされたとしても，**ほかでは異常**とみなされることもあります。**だれもが違っていて**当然です。**現代の生活は選択**と**複雑さ**に満ちているので，**個性を理解すること**は，**正常を探すことよりも重要なのです。**

知能テスト

最初の知能テストは，知能を測定するために考え出されたものではありませんでした。

最初の知能テスト

アルフレッド・ビネーは1905年，**「精神薄弱（知的障害，学習障害の旧称）」の児童たち**のために，**フランス政府**が設置した**特別な学校に適した児童たち**を**同定する**ためのテストを考案しました。彼らには**客観的な測定方法**が必要でした。なぜなら，これらの学校は**無料の食事と宿舎**を提供していたので，児童たちは**実際にはかなりの能力がある**のに，**知能が遅れているふりをする**ように**指導される**のではないかという**懸念**があったからです。

IQの公式

ビネーは，**知能は発達していく**ものであり，**「精神薄弱」**の児童は**ほかの子どもよりも発達に時間がかかる**だけだと考えていました。彼は**大勢**の児童たちを**テスト**し，**さまざまな年齢の児童たちが解ける**ような**一連の小問題**や**パズルを**開発しました。これを使用して，**特定の児童の精神年齢を測定したのです**。その後，知能テストが改訂され，**知能指数（IQ）が導入**されました。それは，**精神年齢をその児童の暦年齢で割って100倍にした結果**です。それによって**得られた数字が**，児童の**知能指数**，つまり**IQ**になります。

$$\mathrm{IQ} = \frac{\text{精神年齢}}{\text{暦年齢}} \times 100$$

能力は固定したものではない

ビネーは，**IQ**は**児童の発達**の**一時的**なものであり，**知能を固定した測度**ではないと断固として主張しました。彼は，それは単に**治療教育を知らせる**ための**実用的な道具**であると考えていたのです。しかし，**のちの研究者たちは，IQについて非常に異なった扱いをしました。**

IQテストの政治的使用

IQテストの歴史は非常に政治的です。

優生学

20世紀初頭，多くの研究者がビネーの研究を理解し，独自のIQテストを開発しました。彼らは，IQは遺伝すると主張し，弱い遺伝子を長続きさせないように，「劣った」人たちが子を産むのを妨ぐべきだとする優生学運動と結びつけました。この考えに基づいたテストは，明らかに文化的に偏っていたものの，アメリカへの移民を制限するためにも使用されていました。

啓蒙的な引用

「近い将来，知能テストは，多くの高度な障害のある人々を，社会の監視と保護の下に置くことになるだろう。そして，最終的に，頭の弱い人々の再生産を減らし，膨大な量の犯罪，貧民，産業労働者の無能者性を排除することにつながるだろう」（ルイス・ターマン，1916年）

遺伝するものとしての知能

優生学理論は，知能は固定した遺伝的な能力であるという考えと固く結びついていました。アメリカでは，20世紀まで続いた優生法の下で多くの人々が不妊手術を受けました。ナチス・ドイツでは，「精神薄弱」の不妊手術から始まったことが，最終的には死の収容所での絶滅に至ったのです。IQテストは，決して「公正な」科学的な考えではありませんでした。

知能理論

心理学者のなかには，知能の一般的な因子を探していた人もいました。

g 因子

チャールズ・スピアマンは，**児童たち**と同様に，**成人**に適した**知能モデル**を開発しました。彼は，**数学**と**空間能力は優れて**いても**言語能力が低い人**が，**高レベルの一般知能**をもっていることを示しました。彼のモデルは，**知能**には**二つの基本的な要素**があるというものでした。**特定の領域**におけるその人の**経験**や**技術**に関連する**特殊因子（s因子）**と，**知能の全般的な測度**である**一般因子（g因子）**です。

流動性知能と結晶性知能

レイモンド・キャッテルは，**知能の一般因子**は**二つの別々の要素**で構成されていると考えていました。その一つが**流動性知能**で，たとえそれまでの経験がなくても**新しい状況**や**問題に取り組む**ために**認知技能**を使用することについての知能です。もう一つは**結晶性知能**で，**教育**や**一般的な生活経験**を通して**獲得した知識**や**技能を応用**することを含んでいます。

アリス・ハイム

アリス・ハイムと同僚たちは，**学生のコホート**[*]のような大人数の**グループ**に実施するための**一連の知能テスト**を開発しました。**AHテスト**では，各120項目のテストを含んでおり，**3タイプの知能**を測定しました。

言語的知能
　—**言葉を使用し理解する**技能

数値的知能
　—**数学的・計算**技能

知覚的知能
　—**観察・発見**技能

＊コホート：同一年代に生まれた人々の集団のこと

多因子の知能

一部の心理学者は，知能因子が単一であるという考えを否定しました。

ギルフォードの多因子理論

J.ポール・ギルフォードは，知能は実際にはその構造においてモジュール的であり，無数の異なる認知的技能（最終的には180）で構成されていると論じました。これらの技能は，三つの主要な次元にまとめることができました。

・心的操作：精神の課題への取り組み方

・内容：課題にかかわる心的表象や記憶

・所産：課題によって生成される結果のタイプ

ガードナーの多重知能

1985年，ハワード・ガードナーは古い理論に異議を唱え，一般的な知能の形式はないと主張しました。その代わりに，私たちには七つの完全に別個の知能があると提唱したのです。それは以下の通りです。

・言語知能：私たちの言語能力と読解力です。

・音楽知能：音楽鑑賞，演奏，作曲に使用されます。

・数学・論理的知能：数値計算や論理的推論に使用されます。

・空間的知能：道を見つけること，視覚芸術，および物事の空間的整理に使用されます。

・運動感覚知能：スポーツ，ダンス，日常的な行為で使用されます。

・対人的知能：社会的な信号を解釈する際や，他者とかかわる際に使用されます。

・イントラパーソナル*的知能：自分自身の行動を理解し，予測するときに使用されます。

*イントラパーソナル：自己概念のような精神の内部のもの

三層の知能

ロバート・スタンバーグの知能のモデルは，いくつかの異なるアプローチを統合したものです。

異なるアプローチ

ロバート・スタンバーグは，知能とは**単にパズルを解くだけのものではない**と主張しました。なぜなら，それでは**日常的な知能**や，**人々が知的な行動とみなす文化の違い**を**反映していない**からです。彼の理論では，**知能の3側面**，すなわち，**文脈的**，**経験的**，**構成的な側面**を説明しています。

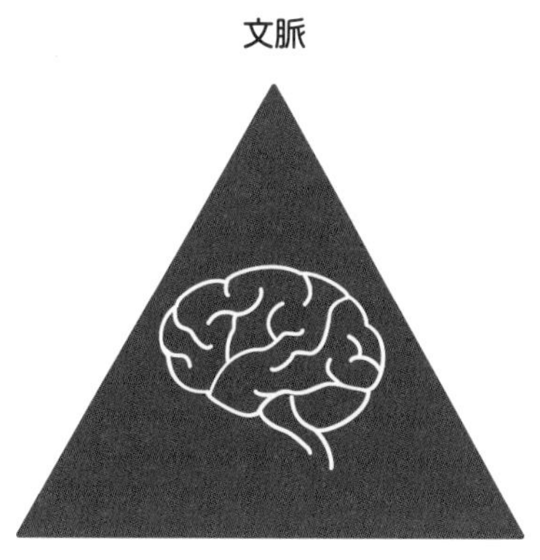

文脈的知能

これは，**知能が社会文化的な設定**のなかで**判断される方法**です。**ある社会的文脈では知的な行為**であっても，**別のところでは愚かな行動**になるかもしれません。あらゆる**行為**の**文脈は，当面の状況**から，その**行動が行われている全体的な文化**にまで及んでいるのです。

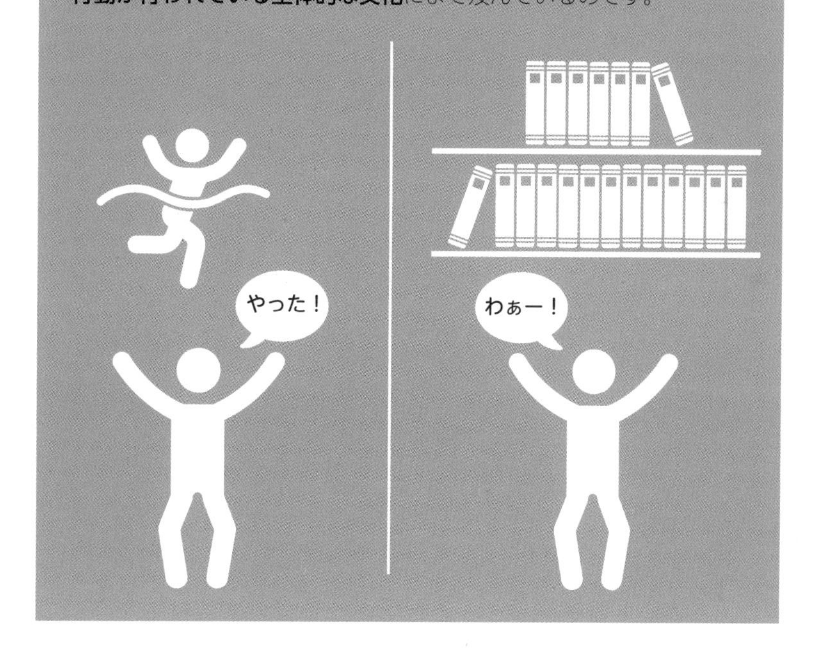

経験的知能

これは，私たちが**個人的な経験**を通じて**獲得した**，あるいは**他者から学んだ技能**や**能力**に由来する**知能の側面**です。私たちが**慣れ親しんだ状況**だけでなく，**予期していなかった状況にも対処する**ことを可能にします。

構成的知能

知能検査で測定する認知的技能です。三つのタイプのコンポーネントが含まれています。

- **知識獲得のコンポーネント：新しい情報**に関しての学習能力
- **遂行のコンポーネント：数学力や語学力**などの能力
- **メタ・コンポーネント：意思決定**や**計画立案**のような**高次の処理**能力

8 個人差

情動知能

他者と積極的に交流できることも知性の一つです。

IQよりも重要？

1995年，**ダニエル・ゴールドマン**は，**他者に敏感であること**は，それ自体が**知能**の**形式**であると主張しました。さらに，**優れた対人技能**をもっていること，つまり**高いレベル**の**情動知能**をもっていることは，その人の**IQレベルよりも重要**であることが多いのです。

情動技能

情動技能は**技能の複合セット**であり，**定義が難しい**場合もあります。それらはすべて，**他者に敏感である**ことについてのものですが，**自己知識**についてのものでもあります。**下位尺度***を用いた**精神測定テスト**で**測定**されてきました。

- 共感
- 情動の知覚
- 人間関係の技能
- 新しい状況への適応性
- 情動表出
- 低衝動性
- 幸福
- 楽観主義
- 自尊心
- 複雑な状況での情動管理
- 自分の感情の情動的制御
- 自己動機
- 自己主張
- 社会的コンピテンス
- ストレスマネジメント：自分のものと他者のもの

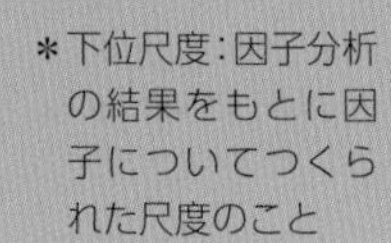

＊下位尺度：因子分析の結果をもとに因子についてつくられた尺度のこと

特性か技能か？

情動知能を多かれ少なかれ人がもっている**パーソナリティ特性**として捉えるべきなのか，それとも**学習した技能**として捉えるべきなのかについては，**いくつかの議論**がありました。**人間の乳児**は**誕生時から社会的であるという素質**をもち，**児童期**と**成人期**に**他者との交互作用**のなかで**常に学習**しています。人によっては，**他者よりも優れた学習をしている**かもしれません。

パーソナリティ特性

初期のパーソナリティ特性研究を形づくったのは，三人の主要な人物です。

オールポート

ゴードン・オールポートは，辞書に目を通し，**パーソナリティを記述するために使われる4500語**を集めることから，**パーソナリティ特性の研究**を始めました。彼はこれらを**3タイプ**にまとめましました。**特定の人**を特徴づける**主要な・支配的な特性**，**正直さ**など**ほとんどの人が共有する中心的な特性**，そして**個人的な好き嫌い**などの**特定の状況**でのみ登場する**二次的特性**です。

アイゼンク

この研究に続いて，**ハンス・アイゼンク**と**レイモンド・キャッテル**は，**特性理論**を発展させ，それが**広く普及**していきました。アイゼンクは，パーソナリティ特性は「**内向性／外向性**」と「**安定性／神経症的傾向**」の二つの**主な因子**にまとめられると主張しました。これらの因子は，**個人の生理学的気質**に由来し，**ほかのパーソナリティ特性**は，**それらがさまざまに組み合わさったもの**に由来しています。

外向性

社交的な　活発な
外向的な　楽観的な
饒舌な　衝動的な
応答性のある　気まぐれな
気楽な　威勢のいい
陽気　攻撃的な
心配のない　落ち着きのない
リーダーシップ

安定　――　**神経症的傾向**

沈着な　むら気な
落ち着いた　不安
信頼性の高い　柔軟性のない
統制のとれた　地味な
平和的な　悲観的な
思慮深い　控え目な
慎重な　無愛想な
受動的な　静かな

内向性

キャッテル

レイモンド・キャッテルは，**生活記録**，**自己評価**，**客観的なテスト**の**3種類の情報源**から**データ**を収集しました。そして，**因子分析**を用いて，**16の主なパーソナリティ特性**を同定しました。

- 内気か社交的
- 知性的でないか知性的である
- 感情易変的*か情緒的安定
- 従順的か支配的
- 真面目か楽天的
- 功利的か良心的
- 臆病か大胆
- 現実的か敏感
- 信じやすいか疑い深い
- 実践的か想像力に富み敏感
- 率直か抜け目がない
- 自己確信的か危惧的
- 保守的か実験的
- グループ依存か自我充足
- 統制されていないか統制されている
- リラックスか緊張

*感情易変的：感情が不安定で，イライラし，不機嫌になりやすい傾向のこと

「ビッグファイブ」

多数のパーソナリティ測定からの因子分析は，五つの基本的な特性を示しています。

神経症的傾向

神経症的傾向の強い人は，周囲で起こる事象に**激しく情動的に反応する**傾向があります。**この尺度の対極**には，**粘液質***，**穏やか**，**平穏な**傾向があります。

＊粘液質：冷静で感情の起伏が少ない性格のこと

経験への開放性

この特性は，**積極的な好奇心**，**鋭い想像力**，**探求する傾向**を含む生活への**一般的アプローチ**を記述しています。**この尺度の対極**には**事実に基づいて**，**平凡で**，**想像力に乏しい**傾向があります。

誠実性

これは，**信頼性が高く**，**自己訓練**がなされ，**体制化されている傾向のことです**。誠実性の**高い**人は，**完璧主義者**，**頑固者**，**極端**なまでに**きちんとしたことに執着する**ことがあり，**対極**の人は，**不注意**，**無節操**，そして**衝動的**である傾向が高いです。

外向性

この**特性**は，**外向的で**，**おしゃべりで**，**社交的な**人を表しています。対極は**内向性**で，**孤独**や**社会的状況を制限すること**を好む人を表しています。注目すべきは，**ほとんどの人が両方向をもつ**ことです。時には**自分の仲間と楽しみ**，時には**社会体験**を楽しみます。

協調性

この特性は，**猜疑的**（さいぎてき）で**敵対的である**のとは対照的に，他者に対して**社交的で協力的**であるという**全体的な傾向**を示します。**年齢とともに増加する可能性がある**ことを示す**いくつかの証拠**もあります。

精神測定テスト

精神測定テストは，いくつかの厳しい基準に適合していなければなりません。

検査基準

精神測定テストは，表面上は**質問紙**や**パズル**のように見えることが多いですが，**裏側**では**まったく異なっています**。それぞれのテストは，**厳密な信頼性**と**妥当性の基準を満たす**ように**慎重に構成**されなければなりません。また，**典型的な得点**，つまり**群の基準**を**同定できる**ように，**異なる群**の人々に**広範に試行して**もらわなければなりません。

信頼性と妥当性

テストが**同じような状況**で**一貫した結果**にならない場合，そのテストは**信頼性がない**と考えられ，**精神測定の測度**としての**使用には適していません**。同様に，テストはそれが**測定しようとしているものを測定**していなければ**妥当ではありません**。**妥当性には三つのタイプ**があります。

- **構成的妥当性**：パーソナリティ特性が一般的に理解されている**方法を反映**しているか？
- **基準妥当性**：同じものの**ほかの測度**に**適合**しているか？
- **生態学的妥当性**：**現実世界の経験**と**一致**しているか？

パーソナリティは一貫しているか？

ウォルター・ミシェルは，私たちの**パーソナリティという概念全体**が**神話**である可能性を示唆しています。人は**異なる状況**で**異なる行動をとり，まったく異なるパーソナリティ特性**を示すことがあります。しかし，**特性理論家は，もしそうだとしたら，特性の測度は実際の行動と相関しない**と主張しており，**研究**では**一般的には相関する**ことが示**されています**。

8 個人差

パーソナルコンストラクト理論

科学者としての人間。

経験の意味を理解する

ジョージ・ケリーは，私たちを個性的にしているものの一つは，私たちが皆，自分の世界を異なる方法で意味づけしていることだと述べています。自分の経験を解釈し，そこから学習していくうちに，私たちは独自の個人的な理論のセット（コンストラクト：複合概念）を開発し，それを使用して，たとえば知らない人に会ったときなどのような，新しい経験に対処します。

パーソナルコンストラクト

私たちには多くのパーソナルコンストラクトがありますが，主に八つか九つのものを使う傾向があります。パーソナルコンストラクトは二極化しており，「冷酷な－親切な」のように形容詞の対で表現されることが多いです。しかし，言葉はだれにとっても同じ意味をもつとは限りません。たとえば，ほかの人は「冷酷な－敏感な」や「冷酷な－魅力的な」のような複合概念を使うかもしれませんが，これらの複合概念は少し違った意味を暗示しています。

レパートリー・グリッド

あなたが知っている三人のグループを選び，そのうちの二人がどのように似ていて，ほかの一人とは異なるかを考えることで，パーソナルコンストラクトを同定することができます。コンストラクト・セラピストは，ときどきこの方法を使用してレパートリー・グリッドを作成し，その人のパーソナルコンストラクトを同定し，その人の心理的な問題の鍵を提供することがあります。

ロジャーズの人格論

ロジャーズは，人には二つの基本的に必要なものがあると考えていました。

条件づけの承認

臨床心理学者のカール・ロジャーズは，神経症のクライエントのほとんどすべてが，よい行動を常に承認で条件づけようとする両親によって育てられたことに気づきました。これは多くの児童たちはときどきいたずらをするので，児童が完璧に行動しているときにのみ好かれるというメッセージを与えました。本当の自分，時にはいたずらするような自分は，まった好かれていませんでした。

無条件の肯定的関心

ロジャーズは，だれもが少なくとも一人の他者からの無条件の肯定的な関心，つまり，常に完璧であることに依存しない愛情，愛，尊敬を必要としていると考えていました。それがなければ，人は他者からの肯定的な関心（承認）を確保するために，本当の自我を抑圧することになります。

自己実現の必要性

しかし，承認のための一貫した要求は，私たちのほかの基本的要求を抑制します。自己実現のための要求です。これは，成長・発達したい，新しいことを学んで，自分の才能や能力を現実のものにしたい（実現したい）という心理的な要求です。常に承認のための一貫した要求があると，ほかの人が認めないといけないので，新しいことに挑戦することができません。

成人の回復

ロジャーズは，セラピストやセラピーグループ，新しい関係から，成人期に無条件の肯定的関心を示されることによって，人々が自己実現できるようになり，心理的な健康を増進させることを見い出しました。

異常とは何か？

異常の定義は，意外なほど簡単ではありません。

異常の定義

「**正常**」や「**異常**」を定義するのは非常に難しいことです。人は**多種多様で，大きく異なる文化**のなかで生きており，**個人差も大きい**ので，**一つの生き方が「正常」**ということはありません。

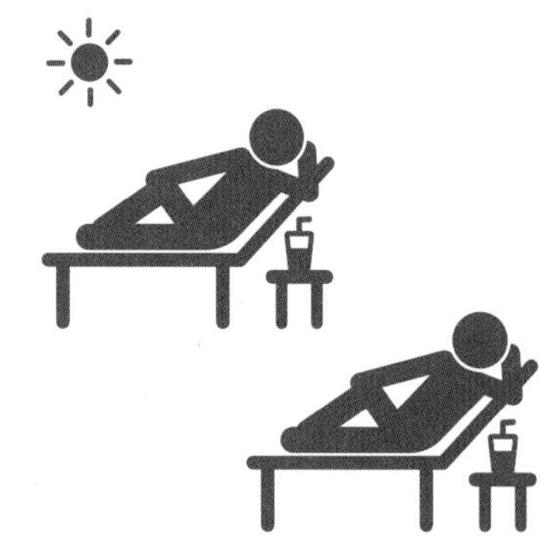

統計的定義

私たちは**統計的な定義**を使用することができます。「**標準**」は**ほとんどの人が似ているもの**であり，「**異常**」は「**標準とは異なる**」ものです。しかし，それでは，**特に才能のある人**，エネルギッシュな人，**成績優秀な人**も「**異常**」と**分類されてしまうようになります**。

生活上の問題

人は**千差万別**なので，何が**正常**で何が**異常**なのかを**定義する**のに，おそらく**最も有用な方法**は，**特定の個人の行動が，実際に自分の人生を生きていくうえで問題を与えるかどうかということ**です。

社会的判断

正常性は**社会的な判断**ですが，それは**人々が何に慣れているかということに完全に依存しています**。メディアにおいて「**正常**」**な行動を描写すること**は**難しい**ことです。なぜなら，**脚本家は高いレベルのドラマ**を盛り込むのが好きであるのに対し，**普通の生活**は**一般的にかなり平凡な**ものだからです。**現実世界のコミュニティ**の人々が，たとえばイギリスのテレビ連続ドラマ『**イーストエンダーズ**』(1985)で見られるような誇張された**攻撃的な社会的行動を見せた**としたら，**精神医学的に障害がある**と判断されるでしょう。

嗜癖と依存性

習慣性のある薬物を使わない生活を身につけるのは，簡単なことではありません。

依存性

人々はしばしば**嗜癖**について話しますが，実際には**依存**を意味しています。**身体的依存**では，体が**薬物に慣れてしまい，同じ効果**を得るために**量を増やさなければならないということがあります。心理的依存**は，**薬物を摂取することに慣れてしまい，薬物がないと不安**になってしまった場合で，この心理的依存がほとんどの**薬物問題の主な要因**となっています。

嗜癖

嗜癖という言葉には，**非常に特定の意味**があります。それは，体が**特定の薬物**や**物質に慣れ**てしまうと，**薬物や物質なしでは適切に機能しなくなってしまうことです。そのため，薬物あり**でなんとかやっていくことを体が覚えてしまい，**嗜癖者は**不快な**離脱症状**を経験します。**「カフェイン頭痛」**はその代表的な例です。

回復の渦巻き

嗜癖からの回復は，しばしば**渦巻き状**となります。人は**中断**しては**再発**するというサイクルを繰り返すので，ぐるぐる**回っている**ように見えますが，実際には**毎回少しずつ先に進んでいます**。それぞれの段階は，**精神的な準備**から始まり，**やめようとする試み**が続きます。最終的には**何度かトライした**後に，**成功します**。ですから，**家族は再発に落胆している**かもしれませんが，**嗜癖者は完全にやめるという目標に牛歩のごとく一歩一歩近づいているのかもしれません。**

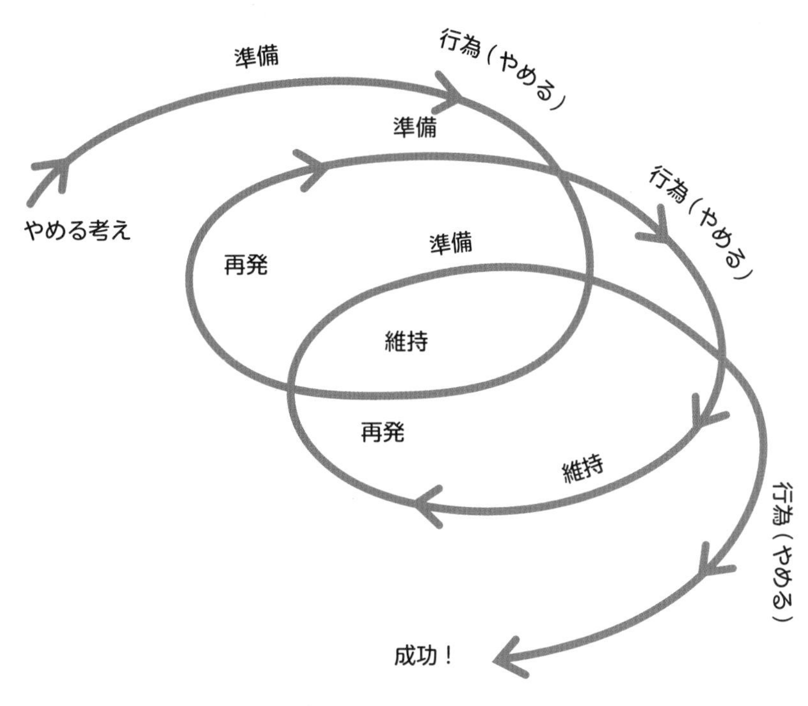

臨床心理学

**心理学は人間の精神を科学的に研究する学問ですが，
心理学者はクライエントや患者の個々の精神を扱うために，さらに訓練を受けなければなりません。**

心理学者

心理学の学位

教育心理学，職業心理学，法心理学，健康心理学，臨床心理学を含む多くの分野を**専門とする**ことができます。

臨床心理士*

心理学の学位＋博士号（PhD）
PsyD

抑うつ病，不安，嗜癖などの**精神保健上の問題**を抱えるクライエントの治療*を**専門とする**ことを選択しました。

＊臨床心理士：日本の臨床心理士（公益財団法人日本臨床心理士資格認定協会の認定する資格）と公認心理師（国家資格）のいずれも博士号の学位の取得を求めていない

＊治療：治療とは日本では医療行為にあたる。臨床心理士の活動では治療の代わりに支援，援助といった用語が使用される

問題についてのテストを行う

臨床心理士は，**面接**や心理テストなどを通じて，クライエントの**臨床的アセスメント***を行います。

テストには，**客観的テスト**と**投影法テスト**の**2種類**があります。**客観的テスト**では，クライエントに**選択肢が限られた（はい/いいえ，真/偽）質問**に**答える**ように求めますが，**主観的投影法テスト**では，クライエントが**自由に答えられる**ようになっています。
IQテストは，**知覚的推論，言語理解，ワーキングメモリ，処理速度**を検査するために使われます。

＊アセスメント：援助のために病理的側面だけでなく健康的な側面も含め全体的に評価し，実際の援助につなげる過程のこと

TATテスト

TAT（**主題統覚検査**）では，クライエントに**人が何かをしているような曖昧な**20枚ほどの**絵**を見せて，**それについて**次のような**質問をします。**何が**起こっていると考える**のでしょうか？　そして，**その直前に起きたことは**？　さらに，**次はどうなるの**でしょうか？　**絵のなかの人たち**は何を**考え，感じている**のでしょうか？

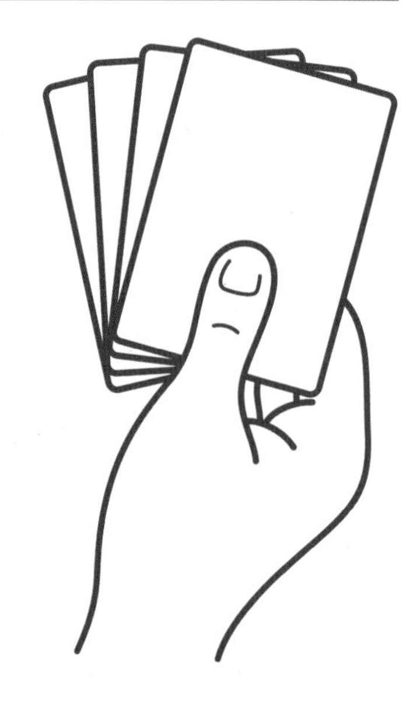

TATテストの例

バイオリンを見ている少年のカードは，クライエントから，**学習，集中，達成への態度**についての**情報を引き出します。**また，この1枚のカードから，彼らの**過去**，特に**嫌がる活動を強いられていた時期**についての**生活史の情報**も得られます。

精神医学

精神科医は，メンタルヘルスの訓練を専門的に受けている医師であり，独自の視点で精神と体を診（み）ることができます。

精神医学とは何か？

精神医学とは，**精神の健康問題**を**診断**し**治療する**学問です。**医学的要素の訓練**により精神科医は，**精神療法的**介入に加えて，**医学的**および**薬学的介入**をすることができます。精神科医は，**統合失調症**などの**精神疾患**のなかで**最も重篤な形態**の**診断**と**治療**を求められます。

診断マニュアル

精神科医と心理学者は，精神疾患の診断に**精神疾患の診断・統計マニュアル**（DSM）を使用します。

精神の医学

精神科医は，**抗精神病薬**，**抗うつ薬**，**興奮剤**（**注意欠如・多動症**のため），**抗不安薬**（不安のため），**気分安定剤**（**重篤な気分変動**をコントロールするため）などの**薬**を処方します。

精神医学，心理学，精神療法

	認知行動療法	精神療法	12ステッププログラム	医学的処置	投薬
抑うつ障害	✔	✔（個人）			✔（抗うつ薬）
不安障害	✔	✔（個人）			✔（抗不安薬）
関係性の問題		✔（個人）			
物質的関連障害および嗜癖性障害	✔	✔（個人）	✔		✔（渇望軽減のため）
摂食障害	✔	✔（家族）		✔	✔（抗うつ薬）
統合失調症・双極性障害		✔（家族）		✔	✔（抗精神病薬・精神安定剤）

心理療法とカウンセリング

セラピストやカウンセラーは，**心理学や医学ではなく，心理療法***の訓練を受けています。

＊心理療法：psychotherapy（サイコセラピー）のこと。心理学では心理療法，精神医学では精神療法という

何が違うの？

カウンセラーも心理セラピストも**最初は臨床の現場で訓練を受けており**，多くの**同じ資料**を勉強することがあるため，**カウンセリング**と**心理療法**は**分野としては重複している**と考えられることがよくあります。多くの国では，心理療法的**アプローチの訓練**を受けた人々は，自分の**好きな肩書き**を自由に選択することができます。

カウンセリングは，**特定の問題に関する行動パターンや思考を変えること**を目的とした，**より短期の時間制限アプローチ**として捉えられることが多い。

心理療法では，**その人自身**やその人の**人生への取り組み方をより深く理解**し，**より根本的なレベルでの変化をもたらすこと**を目的とした，**深層を扱う長期的な治療**を提供する。

精神療法とは？

心理療法とカウンセリングの両方とも，以下のような**言語を媒介としたセラピー**の形態となります。

- 精神力動的精神療法
- 人間性心理療法
- 認知行動療法（CBT）
- 全身療法
- 身体心理療法
- 家族療法
- 芸術療法
- 遊戯療法
- 心理劇
- 催眠心理療法
- 統合療法

人間性心理療法

人間性心理学のセラピーは，心理療法の「第三の波」として知られています。人間性心理学のセラピストは，人は自然に善に向かって引き寄せられ，自分にとって何が最善であるかを知っていると信じています。

エキスパートとしてのクライエント

人間性心理学のセラピーは，**第一の波（精神分析）**と**第二の波（行動療法）**のセラピーで知覚された**否定性**に**反応**して開発されました。それらは，**人間の経験の独自性**と**変化をもたらす**ための**探求，深い文脈的理解，自己受容の重要性**を**強調することで統一**されています。

創造的な自己

第一の波と第二の波のセラピーが**「メンタルヘルスの問題」**や病理を診るのに対し，人間性心理学のセラピーでは，**クライエントが自らの人生のなかで遭遇した現実の問題**に対する**創造的な解決**として，すべての**認知的・行動的パターン**を理解します。**自己覚知を高め，自分自身の人生の理解が高められることを通して，**人々は自分の人生について**自己主導**で真に**自由な選択**をすることが可能となるように**支援され**ます。

協調的にアプローチを行う

クライエントが目標を設定する

自我の核

本質的に思いやりがあり，自発的・支援的に動き，治し方を知っています

自己探求に根ざしている

クライエントの独自性を認知する

選択と自由意志を照らし出す

真実の自己が働き出すのを促す

人間性心理学のセラピーのタイプ

- 人間中心療法
- 交流分析（TA）
- ソリューション·フォーカスト·セラピー
- 眼球運動による脱感作と再処理法(EMDR)
- 内的家族システム（IFS）
- 思いやりに焦点を当てた療法（CFT）
- 弁証法的行動療法（DBT）
- 現実療法
- ヒューマン・ギブン・セラピー
- ゲシュタルト療法
- 実存療法
- 現象学的心理療法
- トランスパーソナル心理療法
- マインドフルネス療法
- アクセプタンス＆コミットメントセラピー（ACT）
- 感覚運動心理療法

行動療法

ジョーゼフ・ウォルピは行動主義心理学的な研究を行い，その成果をセラピールームでの恐怖症やパニック発作の克服に役立てました。

恐怖の誘導

ウォルピは**猫**を使った**実験**を行いました。それにより**繰り返し電気ショックを与え**て猫に**飼育箱で生理的な恐怖**を**植えつけて**から，その**恐怖**を**取り除く**ことができることを確認しました。恐怖の除去には，彼が開発した**系統的脱感作法**という技法が使用されました。まず，猫が**ほとんど不安**を起こさない場所に入れ，**餌を与えること**から始めます。その後，猫が**飼育箱のなかで餌を食べることができる**ようになるまで，**餌を与えるたびに環境**の**不安レベル**を**少しずつ上げて**いきました。

どのように機能するのか？

ウォルピによれば，**脱感作法**は**逆制止**[*]によって働きます。これは，動物（**人間**を含む）に，**習慣的な（望ましくない）反応と同時に競合する内的反応**を起こさせることができれば，**新しい反応によって，望ましくない反応は徐々に抑制されて起こらなくなるというものです**。猫では**食べる行為が強い逆制止反応を生み出し**ましたが，**人間**では**何かほかのものが必要とされました。**

＊逆制止：条件刺激が提示されるときに条件反応と両立しない反応を条件づけること

恐怖の治療法

ウォルピは，だれかが**恐怖を感じる状況や物を想像している**間に**神経筋弛緩**を誘発することで，**恐怖症**を**治す**ことができることを見い出しました。

1. 彼は**足の指**から**頭**にかけての**筋肉を緊張**させて**リラックス**させる，**漸進的なリラクゼーションテクニック**を用いて，クライエントに**深くリラックスする**方法を指導しました。
2. クライエントが**完全にリラックスした状態**になると，彼らの**恐怖が最も小さいもの**（30ｍ先の**小さな蛇**のような）を想像してもらいました。
3. クライエントが**そのイメージで完全にリラックスした状態を維持**できるようになると，ウォルピは**少し近くにいる少し大きい蛇**を**想像**してもらいました。
4. その想像が**少しでも恐怖反応**を引き起こした場合，ウォルピはクライエントが**再びリラックスする**ように助けました。
5. このプロセスは，**腕にいる蛇を思い浮かべ，毒蛇の穴に落ちる**まで続けられました。

認知行動療法（CBT）

精神分析とは対照的に，CBTは過去ではなく現在の思考，情動，行動を調べ，「今すぐ」の精神の状態を改善することを目的としています。

交互作用する反応

CBTは，思考，感情，行動は，それぞれがお互いに影響し合いながら，**反応によって交互作用している**と捉えています。

悪循環

どんな**困難な状況**でも，私たちは**思考**を伴って反応し，それが**すぐに対応する感情**と**身体的反応を生み出し，行動**（どのような**行動を**とるか）を決定します。だれかが突然**恥ずかしい**と感じた場合（例：「何でそんな服を着ているの？」），それは**思考**（例：「私は**何をやってもダメなんだ！**」）とその後の行動（例：**パーティーを去る**）に影響を与えます。それはまた，事象についての**解釈に影響を与え，新たな気がかりな思考が発生し**，次いで**感情が発生し**，さらには行動が起こるというように**無限のサイクルが成り立ちます**。

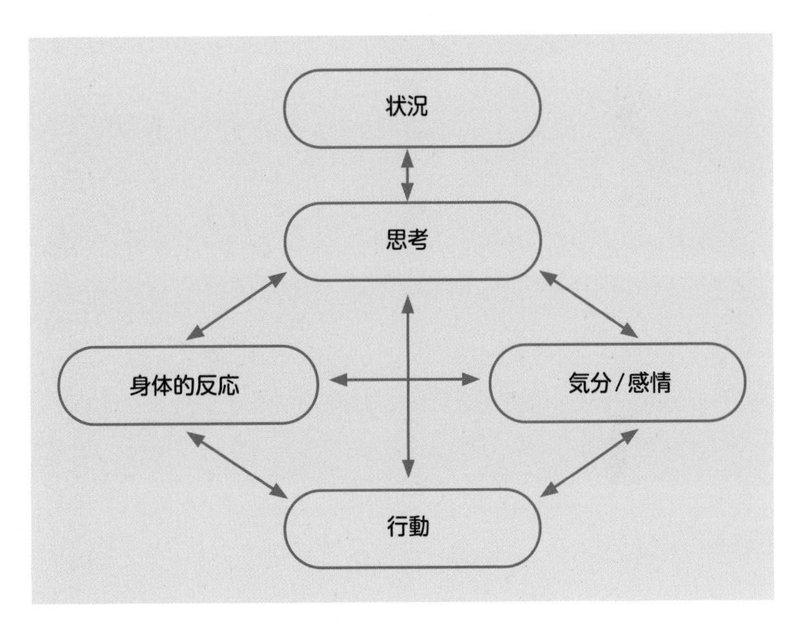

不合理な信念

CBTの「**父**」は，**論理情動行動療法**を開発した**アルバート・エリス**と，**認知療法**を開発した**アーロン・ベック**でした。ベックは人々のなかで**起こっている事象の各段階に焦点を合わせる**のを助けるために**ABCモデル**を使用しました。問題は**活性化する事象**ではなく，**ネガティブな信念の不合理性である**と彼は述べています。これを**合理的な信念**に変えれば，**結果はまだネガティブ**であっても，**もはや不健康なものではありません。学校の成績が悪い**と，**不合理な信念と相まって無価値感を誘発する**かもしれませんし，または単に**次の**とき（**合理的な反応や信念**を経験したとき）に**より懸命に試してみたいという願望**を引き起こすかもしれません。

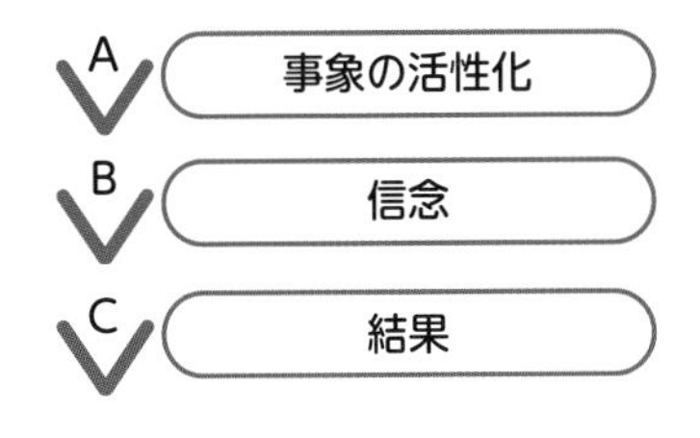

ゲシュタルト療法

1950年代の10年間に，患者の歴史的な「あっちこっち」よりも「今ここ」に焦点を当てた革命的なセラピーのアプローチが開発されました。

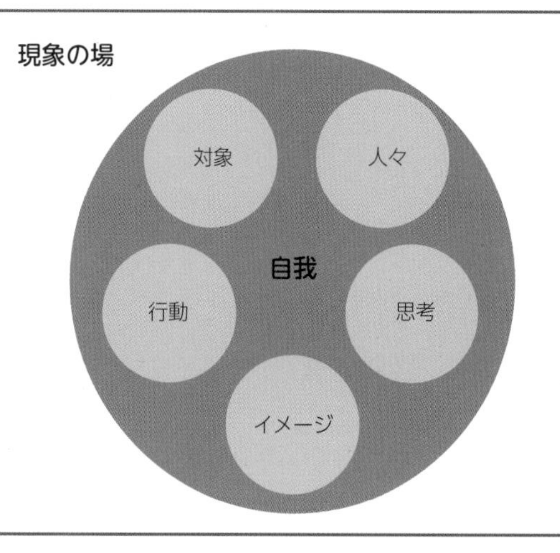

ゲシュタルトまたは全体の一部

ゲシュタルトは，一人ひとりを**孤立した存在**ではなく，**ダイナミックな場**の一部として捉えています。場を構成するすべての部分（**生活のなかの状況**や**周囲の人々など**）は，**互いに関係をもち，影響し合って**います。私たちの**ユニークな場の中心**から外を見ると，**ほかの人々，自分自身，**そして**世界**に対する私たちの**知覚は，その場によって定義**されます。つまり，私たちは**常に環境の文脈**（環境情報を手がかりとして記憶を想起すること）に依存して，**自分自身の現実を創造している**のです。

覚知に焦点を当てる

ゲシュタルトは，**現象学**として知られている**哲学的アプローチ**を使用しました。このアプローチで知ることができるのは，私たちが**直接経験するもの**，つまり**覚知しているもの**のみであるとみなします。**今ここで何が起こっているのかに正確に注意を払う**ことで，**現在の状況で知覚されているもの**と，**過去からそこにもち込んでいるもの**との**違いを見分ける**ことができるようになります。この意味では，**ゲシュタルト療法**は，**心理療法的なマインドフルネス**の実践に**反映された今日のアプローチを最初に使用したもの**でした。

ポジティブな防御

ゲシュタルト・セラピストは，すべての**防御**を**創造的な適応**とみなしています。これらは，**私たちが自分自身を見い出す場に適合した，**あるいは**その場で生き残る**ために，**じかの環境に自発的に自分自身を適応させた**方法です。しかし，**もとの状況ではうまく機能したものの，**今では**合わなくなってしまった行動に精を出している**というようなことがあります。ゲシュタルト・セラピストは，クライエントが**現在の「今ここ」での，よりよい知覚**や**よりよい接触を取り戻す**ことを助けます。

実験

ゲシュタルト・セラピストは，クライエントの**知覚を刺激する**助けとなるように，**創造的な実験**を使用します。クライエントに，**ジェスチャー**や**行動を誇張してみたり，自分自身の一部分を外面化してみたり（話しかけてみたり）**してもらいます。または何が起こるかと**自分自身を驚かせる**ために，思いもよらない**別の何かを**してもらったり，**ほかのだれかのように演技したりしてもらいます。**

人間中心療法

カール・ロジャーズは，私たちはだれもが生まれながらにして，成長，癒し，自己実現の傾向をもっていると考えていました。人生の課題はこれをゆがめることがありますが，道は常に再発見することができます。

非指示的療法

1950年代，**ロジャーズ**は，**セラピスト**ではなく**クライエントが自分自身の専門家**であることを示唆するという**革命的なアプローチ**を示しました。彼は，セラピストは**解釈，診断，安心やアドバイスを提供するのではなく，反射的傾聴**を訓練し，クライエントが**自分自身の問題に対する答えを自分自身で見つけられる**ように支援すべきであると述べました。このことについてロジャーズは，セラピーの**三つの核となる条件の共感性，一致，無条件の肯定的関心**がセラピストにあれば可能であると述べています。このようななかで，クライエントとセラピストは**一体となって，変化，成長**，そして**本物の自己の実現**のための**強力な気運**を創造できるのです。

> **不思議なパラドックス**は，
> **ありのままの自分を受け入れれば，**
> **自分は変われる**ということです。
> カール・ロジャーズ

人間中心の癒しへの道

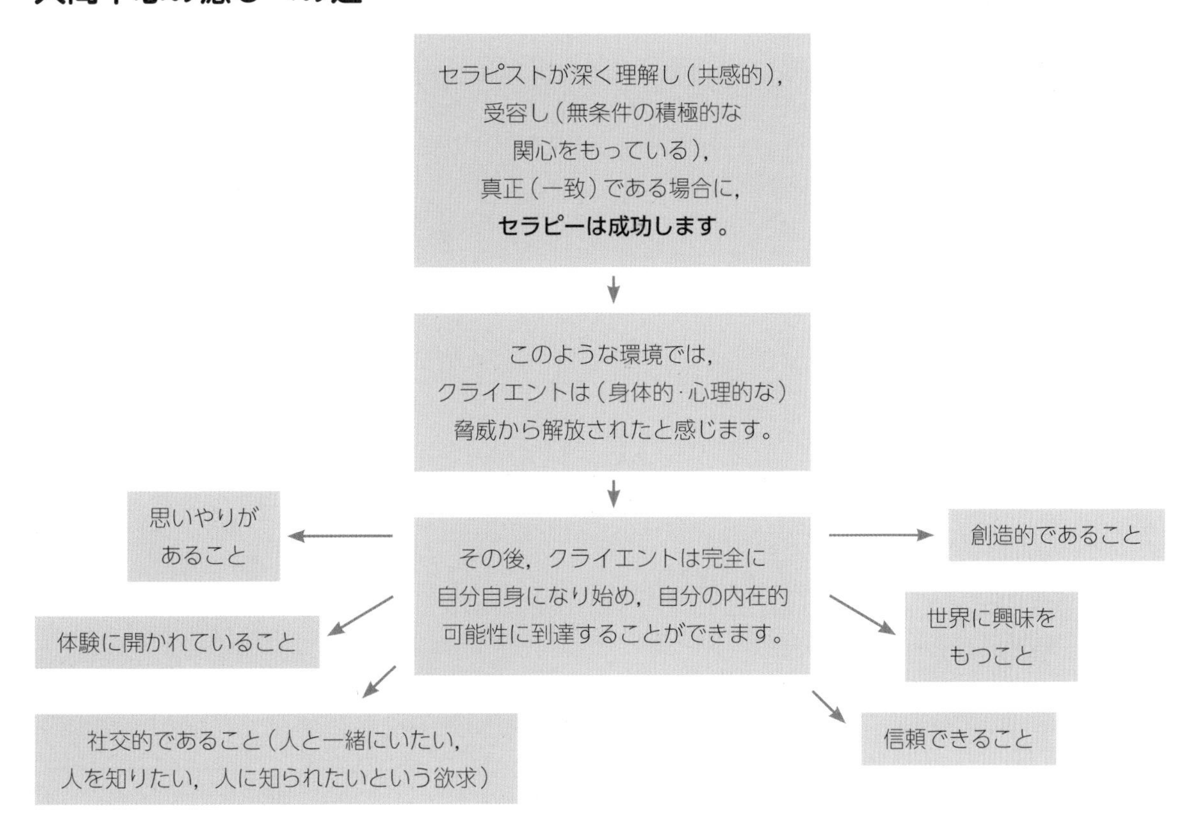

家族療法と全身療法

全身療法のあらゆる形態は，家族構成，文化，地域社会のなかで起こる可能性のある心理的・関係的な困難に対処します。

文脈のなかでの治療

メンタルヘルスの問題で**悩んでいる**人がいると，その人の**家族全員が衝撃**を受けます。また，その人の**核となる人間関係**は，その人を**支えるだけでなく，課題ともなる潜在的可能性**をもっています。そこで，このセラピーは，そのような関係システムのなかで行われ，その人間関係の**強さを動員すること**を目的とします。**家族療法**や**全身療法**（**家族以外の組織**を含んだ療法）は，**幼児たち**や**広範の治療を必要とする重篤で複合的な障害に苦しんでいる人がいる状況で特に効果的**です。

ネスティング・システム*

全身療法は，**個人の内部プロセス**だけでなく，**家族**から**より広い社会**まで，**彼らが暮らしているすべての外部システム**を認知します。**システムはお互いの内部に巣をつくっており，システムのどのレベルでの変化**（**経済的な苦難**など）も**ほかのシステムに衝撃を与え**ます。

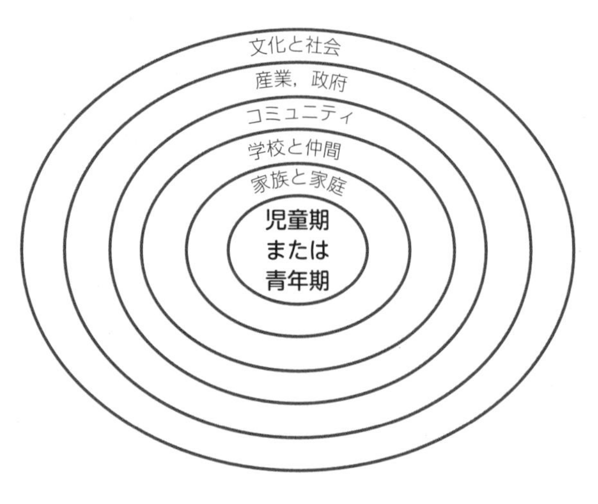

＊ネスティング・システム：ある構造のなかに似たような形の構造が成り立っているシステムのこと。入れ子構造とも呼ばれる

家族セラピストの仕事とは？

- 家族全員が自分の**気持ち，経験，見解を話し，ほかのメンバーが自分の話をしているときに傾聴するように促します。**
- **家族が言ったことを明確にして，**お互いの**希望，要求，信念，価値，仮定などを理解できる**ようにします。
- 家族がお互いを**責めることをやめ，どのようにして助け合い，協力し合うことができるのかを探り始める**のを助けます。
- 家族が自分の**言葉や行為がほかのメンバーにどのような影響を与えるかを理解できる**ように助けます。
- **家族それぞれの強さ**を探ります。何を**得意としている**のか，何に**誇りをもっている**のか。
- このときに家族が**直面している問題を探る**のを助けます。
- **ジェノグラム（人と人との関係を記した家系図）**を描きます。
- **関係構造が変化**するように家族を支援します。

ポジティブ心理学

マーティン・セリグマンらポジティブ心理学者は，ネガティブな情動や行動だけに焦点を当てるだけでは不十分だと言います。「悪いところを直す」だけではなく，「強いものをつくる」必要があるのです。

強さへの移動

ポジティブ心理学は，私たちの**真正の自己**は本来**ポジティブに向かって成長**するという**人間主義的**な考えに基づいて構築されています。それは，私たちの**個人的な強さ ― ポジティブな情動，経験，キャラクターの特性 ― を同定し，発達させ**た場合，**自然に幸福度が高まる**ことを示唆しています。

ポジティブの識別

2004年に**マーティン・セリグマン**と**クリストファー・ピーターソン**は，DSM（**精神障害の診断と統計マニュアル**）の**対極**にある書籍を執筆しました。そこでは，人類がつくり出しているかもしれない**病理学的診断**ではなく，**発見され，奨励される**かもしれないすべての**長所**と**美徳**をリストアップしています。CSV（**キャラクターの強さと美徳：ハンドブックと分類**）では，**24のキャラクターの強さ**を調べています。

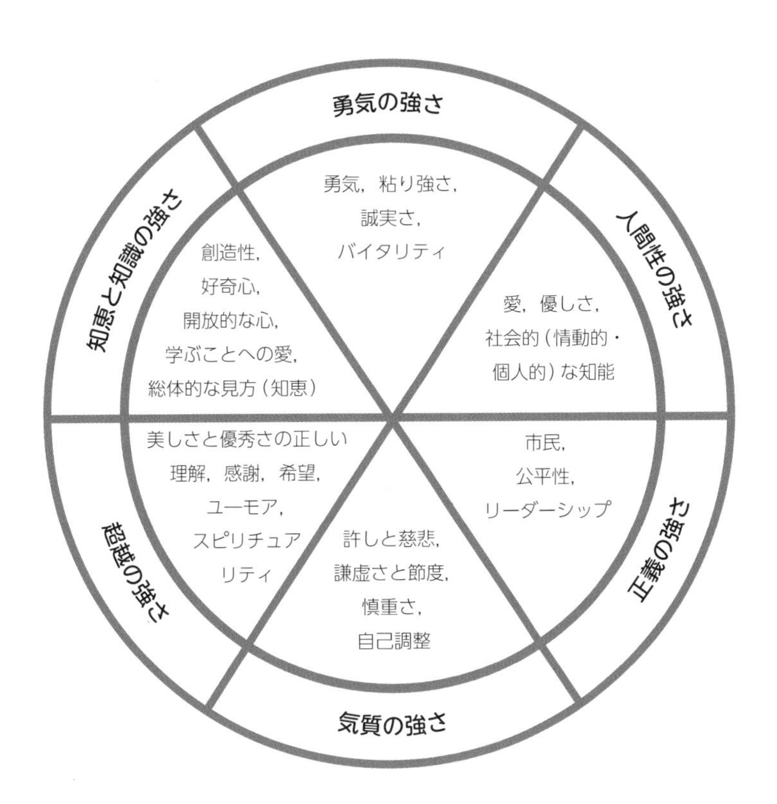

強度を高めるためのエクササイズ

セリグマンは，クライエントが**毎日練習するため**の12の**エクササイズを組み合わせた**ポジティブ心理療法を開発しました。そのうちの一つは，**毎晩，その日あなたに起こったよいことを三つ書き出し，なぜそれが起こったのかを考える**ことです。ほかの一つは，**自分の強みのトップ5**を認知し，**毎日新しい方法でそれらを使ってみることです。**

マインドフルネス療法

仏教僧ティク・ナット・ハンは，マインドフルネスを「現在の現実に生きている意識を維持すること」と定義しています。セラピーの多くの形態は，現在マインドフルネスの要素を取り入れています。

自動思考の停止

マインドフルネスは，**“自動操縦”の精神のアンチテーゼ**であり，その意味では，それが大幅に**自己覚知を高める**ため，クライエントにとって**あらゆる形態の心理療法**の**有用な練習**となります。

反芻(はんすう)を止める

マインドフルネスはまた，**「非精密化的，非判断的な覚知」**として記述されています。**非精密化的な**ことから，**反芻的な思考サイクル**や**不安な思考の拡大を防ぐ**のに有用であることが証明されています。非判断的なこと，それは**すべてのセラピーが私たちの思考，感情，行為を明瞭にするため**に**必要不可欠であると考えている自己受容**の考えを育成することです。

マインドフルネス・ストレス低減法（MBSR）

1979年，**ジョン・カバット・ジンは，慢性的な身体疾患**をもち，**痛みに薬が効かず，不安**や**抑うつ状態**に陥っている患者を支援するために，現在では世界中の病院で行われている**構造化されたマインドフルネスのアプローチ**を開発しました。研究によると，**マインドフル・ボディスキャン**と**瞑想**を含む**MBSRの8週間のコース**の後，患者は**不安レベル**が58％**減少**し，**ストレス**が40％**減少**し，**痛みのレベル**が有意に減少したと報告されています。

マインドフルネス認知療法（MBCT）

マインドフルネス認知療法（MBCT）は，**うつ病を再発**した経験のある人を支援するために開発されました。**マインドフルネス・ストレス低減法（MBSR）**に**認知トレーニングの要素**を加えたもので，**機能不全の思考**をモニターし，**感情の状態との関連性を分析する**エクササイズを取り入れています。**抑うつ的な反芻に否定的な反応を示さず，**ただ**注意する**だけで，習慣的に起こっていた**ネガティブな気分の変化が起こらなくなる**ことに，クライエントは気づきます。

マインドフルネス摂食覚知トレーニング（MBEAT）

摂食障害の人たちのためのセラピーに**MBSR**と**MBCT**が取り入れられています。それは，これらのクライエントが確立している身体の**状態の覚知の欠如を逆転させる**ために働き，再び**“満腹”**や**“空腹”**を感じさせることができます。

9 臨床心理学

身体療法

身体療法では，トラウマが身体の自律神経系に与える影響を認識し，精神と身体を包括した全体的なアプローチを行います。

自動思考の停止

“ソーマ”はギリシャ語で**“身体”**を意味する言葉からきています。**トラウマの専門家は，身体の姿勢**から**痛み，消化器系の問題，免疫系の機能不全**などの**身体的症状**，そして**嗜癖，抑うつ不安**などの**メンタルヘルスの問題**まで，**トラウマとなった出来事の経験が日々**継続し，**身体に影響を与え続けるように身体状態を保っている**ことを発見しました。

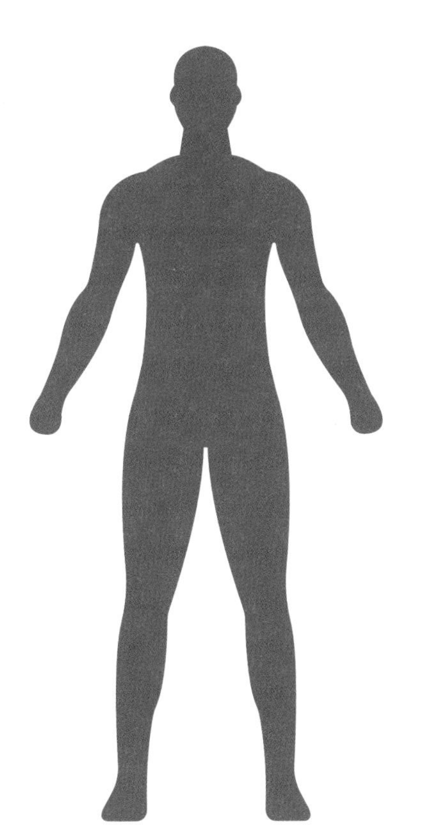

ソマティック・エクスペリエンシング（SE）

これは，2010年に**ピーター・ラヴィーン**によって開発されたPTSD（**心的外傷後ストレス障害**）に苦しむ人のための**身体療法の一形態**です。SEは，**PTSDの症状を，ストレスの活性化**と**外傷的な出来事**に対する**不完全な防御反応**の表れであると考えています。そこで，セラピーの目標は，**バランスが崩れている神経系**がまだ抱えているトラウマの反応 ― **戦闘や飛行で「棒のように硬くなってしまう」あるいは凍りついてしまったような反応** ― の解放を目指します。反応を**解放**していくことにより，**固着した身体状態が解放されます。**

トラッキング感覚

セラピー中，クライエントは**身体感覚を追跡する**ことで**トラウマとなった記憶を再び呼び起こしますが，情動的な覚醒をモニター**して下方制御する**プロセス**を**学んだ**後であれば，**決して圧倒されていると感じることはありません。**トラウマとなった**出来事を完全に再現する必要はなく，**セラピーのプロセスで**身体の緊張はコントロールされた方法で解放されていきます。**

ボトムアップ処理

身体療法は，**身体を第一に考えた治療法である**ため，**ほかの多くのセラピー**のような**「トップダウン」**（脳から身体）ではなく，**「ボトムアップ」**（身体から脳）で治療を行うと言われています。**身体療法**は，**思考や信念を変えるのではなく，**私たちの**感情**や**行動**の根底にある**身体感覚**に働きかけます。

自我の部分

ユング派とゲシュタルトのセラピストたちは，私たちが自分自身のさまざまな部分から行為し，話すことができることを認識していました。内的家族システム（IFS）は，それらに働きかける方法を提供します。

多元性

フロイトが**「私たちはどのようにして，したくないことをするのか？」**と尋ねたとき，彼は**無意識の**何かが働き始めたことを認識しました。**リチャード・シュワルツ**は，**無意識の衝動**（たとえば，ボトルのワインを飲むこと）は，**それがよい考えではないと考えているもの**とは**異なる自分自身の部分**から生じていることに気づきました。実際，私たちには部分から成り立っているある全体的な**「内的家族」**をもっているのです。

あなたを知るために

内的家族システム（IFS）では，人間を**生理的なシステム**と**複合的な精神的システムを統合**した一つの**システム**として捉えています。私たちは**異なる自分自身の部分**（たとえば，表には出さないが**幼児のように地面を踏みつけたくなる**ほどの怒りを抱えている部分）**を話す**ときに経験する**身体的な反応に気づくこと**で，**異なる自分自身の部分についてよりよく知ることができるのです。**

異なる役割

シュワルツは，**異なる部分**はシステムのなかで**異なる動機**と**役割**をもっていることを見い出しました。**ワインを飲みたいという衝動を与える**部分は，**私たちのなかで拒絶されたと痛感**した**部分を守っている**のかもしれません。私たちのシステムのなかで**ある部分から絶望**が起こると，**合理的な部分**が「それはそんなに悪くない」というような考えで**私たちの心を安定させようとしている**のを感じるかもしれません。ただ，**絶望が強くなり続けると，防衛的な部分が痛みを麻痺させる**ための衝動行動（アルコール，食べ物，買い物，運動など）に移ります。

部分のタイプ

IFSは，**私たちのシステムの中心には癒しの自我があり**，それは**システムのいろいろな部分で大きく違っている**ことを認識しています。これは，**瞑想中**に体験することもある**意識の座**であり，自然と**穏やかさ，明晰さ，好奇心，創造性**などの質をもっています。**IFS療法（内的家族システム療法）**では，クライエントが自我にアクセスし，この場所から自分自身のさまざまな部分にアプローチし，それぞれが最終的にはシステム全体が**安らぎとウェルビーイング（幸福感）**を取り戻すまでの方法を示しています。

応用心理学

心理学は当初から産業やスポーツなどの実用的な場面で応用されてきました。

産業

1920年代に**エルトン・メイヨー**率いる**研究グループ**がアメリカ・イリノイ州にあった**ウェスタン・エレクトリック社のホーソン工場**で**一連の研究**を行いました。この実験でわかったのは，**労働者の生産性を向上させる**ためには，単なる**物理的な職場環境の改善**より**人的要因**が**重要**だということです。この実験結果が，**その後に発展する組織心理学**と**職業心理学の基礎**となりました。

広告業

行動主義の創始者である**ジョン・ワトソン**は，**助手との恋愛スキャンダルが原因で学者としての道が突然閉ざされた**のを契機に，**広告業界**に転身しました。**ワトソンは広告に連合学習の原理を応用して大きな成果を上げ，そのアイデアの多くが現在も活用されています。**

スポーツ

最初のスポーツ心理学の研究所が**1920年代**に**ドイツ**で設立され，さまざまな**タイプのスポーツ選手**を対象とする**身体能力**と**精神的適性**の**調査**が行われました。研究は続けられ，**旧ソ連**の**スポーツ心理学者たち**によって**大きな発展を遂げました。**そのころは**西側諸国**でスポーツ心理学が**心理学の専門領域**として**広く認識されてはいなかった**のですが，**第二次世界大戦後**の**冷戦時代**に入ると，**オリンピックのメダル獲得数**で**旧ソ連に負けること**を**恐れたアメリカ**が，**スポーツのパフォーマンスを向上させる**方法としてスポーツ心理学に投資をし始めました。

職業心理学

職業心理学では仕事に従事する人々に関する研究をしています。

職務分析

心理学の初期の応用例の一つとして，**生産現場労働者**を観察した研究があります。この研究では，**労働者が作業時に実際に行う動作の仕方**が調べられました。**20世紀前半**には「**時間作業**」研究が**雇用者たち**に信奉され，広く活用されました。このような研究は**生産性を向上させる**のに役立ちましたが，そのために**人間を機械のように扱う**という問題がありました。現代の**職業心理学者**はこれに代えて，**職務充実化**を提唱しています。職務充実化とは，仕事内容を**従業員がより満足感を得られる**ものにすることです。職務充実化を図ると従業員が**より長く定着する**ようになり，**仕事の質も上がる**傾向があるため，現代の**職業心理学**では**職務充実化**が重視されています。

職業テスト

職業心理学者は**精神測定検査**を使うための高度な訓練を受けており，実際に**職場で精神測定検査を実施する人々をスーパーバイズ*する**こともあります。検査は，**人材採用の際に参考**にされたり，**昇進決定の指針**にされたりしますが，**特定の職業に対する適性**があるのかを**知る**ために使われることもあります。

＊スーパーバイズ：経験豊かな専門家が経験の浅い専門家に，専門領域の知識や技能について，指導や助言を行うこと

職業ストレス

職業生活において職業ストレスが**深刻な問題**になりかねない現在，多くの職業心理学の専門家が**企業の従業員を対象として，職業ストレスを軽減する**ための**セッション**を行っています。

職業ストレスの原因になる可能性のあるものは以下の通りです。

労働条件　例：騒音・汚染

キャリア要因　例：昇進できないでいること

作業の欲求不満　例：業務上の事がらに発言権がないこと

組織的問題　例：部門間の競い合い

仕事上の人間関係　例：敵対的な人や気難しい人と仕事をすること

仕事以外の要因　例：家族の問題

組織心理学

個人レベルではなく組織レベルでの研究を行う心理学者もいます。

チームワーク

人間は**協力して作業**したがるものです。この前提に立ち，**組織心理学者**は，**自分たちの領域に責任をもつ従業員**のチームを**容易に組織する**ことができると言います。このようなチームを組織することは，仕事に対する従業員の**動機づけ**と**関心**を**持続させる**のに有効です。**成果を上げるチーム**では，**成員たちが互いに刺激を与えて仕事の質を高めることができており，同じ人々**が**個々にただ作業する**場合より**格段に生産性が高くなる**可能性があります。

組織変革

人間は**変化に抵抗**しがちですが，**組織の存続を目指す**のであれば，**時代の要請**に応えて**組織改革をする**ことが**必要**になる場合もあります。**経営陣**が**互い**の意見だけでなく，たいていは**仕事の実情を上層部より熟知しているその組織の下位職員たちの洞察**を促し，**積極的**に**改革を推し進める**のに役立つような研究も**組織心理学**では行われています。**効果的にコミュニケーション**を図ることが**組織改革を達成するための重要な要素になります。**

組織文化

どのような組織にも**独自の文化**があり，**ある組織で**定着している**習慣**や**労働慣行**が，**同じような業務**を行う**別の組織の慣例**とまったく**異なる**ということもあり得ます。**組織心理学者**は，**組織を誇りに思う気持ちを向上させる**方法や，**職員の意欲を引き出し，創造的に変化に対応**できる**文化を促進する**方法も提供しています。

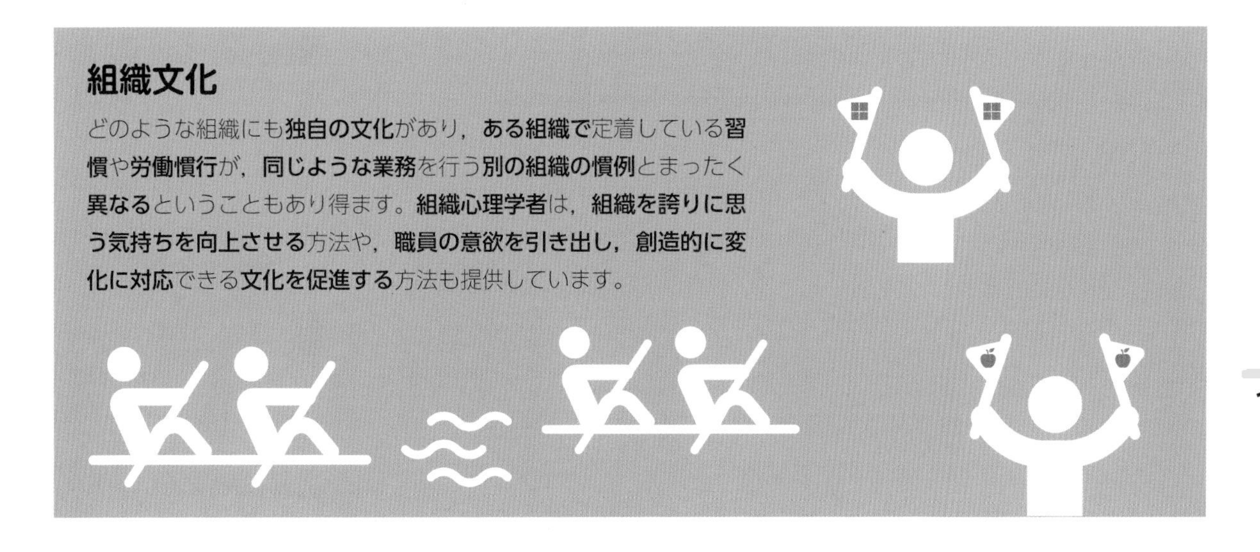

健康心理学

健康とは，単に病気でないことだけではありません。

ポジティブヘルスの促進

健康心理学の重要な役割は，より健康的なライフスタイルを身につけるように人々に奨励することを通し，ポジティブヘルス*を促進することです。この取り組みに含まれるものとしては，食習慣の変更の勧め（健康心理学が提唱する「1日5食ダイエット」），運動の重要性の啓発強化，ニコチン依存などの有害な習慣を変えるための支援などが考えられます。とはいえ，「こうするべき」と忠告することが，実際にその行動をとってもらうための特に効果的な方法になったことはありません。そのため，健康心理学者は態度変容，行動変容，社会的認知という三つの心理学の概念を応用して，より効果的な方略を立てています。

＊ポジティブヘルス：病気がないだけの状態を超えて，最良の健康状態を目指す健康観と実践

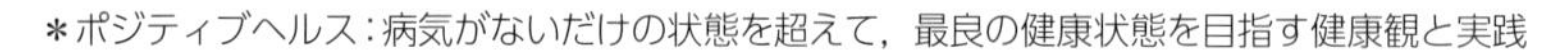

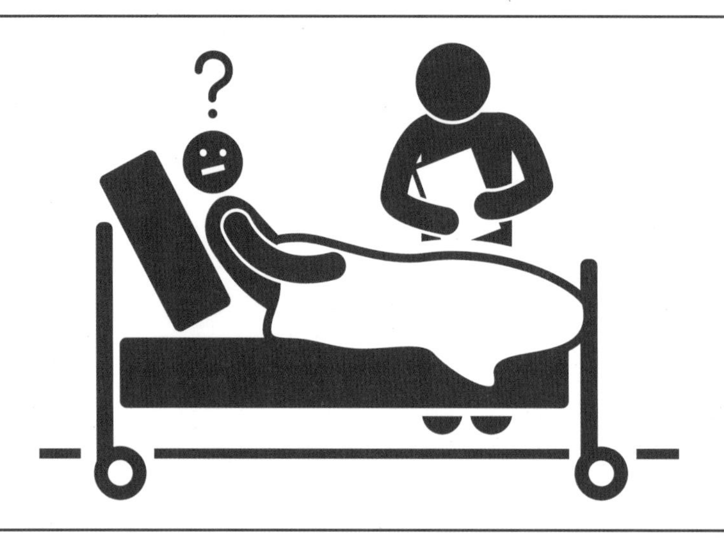

ヘルスコミュニケーション

医療従事者と患者（またはクライエント）は，必ずしも効果的なコミュニケーションがとれているわけではありません。健康心理学者は医師と看護師を対象にした講習会や研修会を開催し，患者が実際に理解できる言葉を使うなど，患者にとってよりわかりやすい伝え方を指導します。

病状の管理

病を患う人がライフスタイルを変えることで，実際に病気が治るケースはさほど多くはないものの，病状がかなり改善されることがあります。健康心理学者は慢性疼痛（とうつう）を管理するのに役立つプログラムを作成しています。また，ほかの医療従事者たちが糖尿病患者や心不全などの危険性のある人に病状の管理の仕方を教えられるように訓練をするのも健康心理学者の仕事です。

教育心理学

教育心理学者は，問題を抱える子どもたちを対象にした仕事をしています。

成績不良

教育心理学者は**専門職の心理士**であると同時に**資格をもつ教師**でもあるため，子どもたちの**学業不振の原因**に**気づきやすい立場にいます。**

【学業不振になり得る四つの主な要因】

- **個人的な問題** – 特異的学習障害または感覚障害
- **家庭の問題** – 家庭でのストレスまたは不適切なしつけ
- **ラベリング** – 例：「頭が悪い」と思われ，不適切な教育を受けている
- **社会的要因** – 例：ジェンダーに関するステレオタイプ

特定の要求の評価

教育心理学者の仕事の大部分は，**特定の要求**の**同定**と**評価**，および**それらに対処する**ために**適切な方略を勧める**ことにかかわるものです。具体的には，**失読症**や**失算**の**診断をする**こと，**自閉症の子どもたち**のために**安心できる学習環境をつくる**こと，**肢体不自由な子どもたち**にとって**学校施設が使いやすく整えられているか確認する**こと，さらには**達成力の高い子どもたち**に**代替の課題**を勧める仕事なども含まれます。

学校でのいじめ

学校でのいじめは，**身体的暴力**や**脅し**から**言葉による陰湿な嫌がらせ**まで多岐にわたります。被害を受けるのは**個人**ですが，**個人の問題**というよりは，**内集団***への**同一化**などの**社会心理学的要因**によって継続される，**学校の問題**でもある場合がほとんどです。**教育心理学者は教育福祉の専門職員**，**保護者**，**教師**と緊密に連携して，**いじめの問題に対処する**ための**プログラム作成**を行います。

＊内集団：自己の所属，あるいは同一化している集団のこと。外集団はそれ以外の集団のこと

スポーツ心理学

スポーツ心理学は，応用心理学のなかでも長い歴史のある領域です。

動機づけ

スポーツ心理に関する研究は**1920年代**から行われるようになりました。**スポーツ心理学の研究者**は，通常は**ハイレベルなスポーツチームの一員**として活動しており，その**主な職務**の一つは**選手**や**チーム**が**達成動機を維持できる**ように支援することです。**プロのスポーツ選手**はだれもが**高いレベルの達成動機**をもっていますが，**成果のために獲得された固執性に取り組みやすい目標**を作成すること，**成功**ないし**失敗**に**適切な帰属を行う**こと，単に**報酬によって動機づけられる**のではなく**自発的な動機**を維持することが含まれます。

技能学習

技能学習のカリキュラムは**選手によっても競技によっても異なります**が，スポーツ心理学者はこのようなカリキュラムを発達させることに携わります。たとえば，**サッカー**や**ネットボール**のような競技の**オープンスキル（外的要因に左右される技能）**では，**環境のなかに手がかりを読み取り，変化する状況に素早く反応する練習**が必要です。対して，**アーチェリー**や**フィギュアスケート**などの競技で用いられる**クローズドスキル（内的要因に左右される技能）**には，**筋肉の正確さ**や**正確な反復**を重点的に練習する必要があります。

最高のパフォーマンスの実現

スポーツで成果を上げるために**心的イメージ**が**重要な役割**を果たしていることがあり，**身体的技能の習得**に**メンタルトレーニング**が役立つことが明らかになっています。また，**成果**を出すことを求めて，**その競技を自分が完璧に行っていることを視覚化する**と，実際に**勝敗に影響を及ぼす**ほど，**個人的パフォーマンスが高まる**ことも認められています。

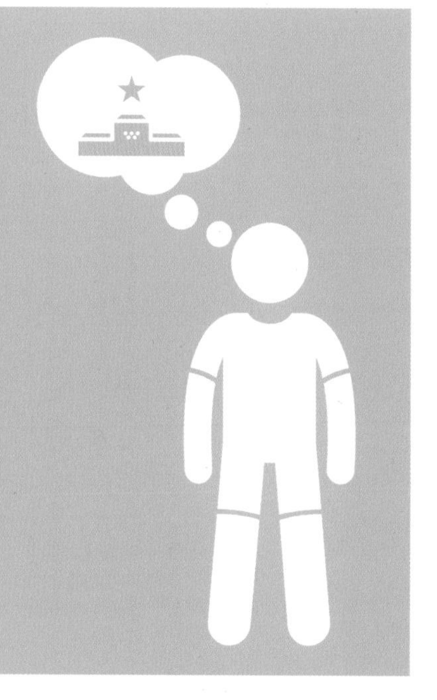

法心理学

法心理学では，犯罪者と司法制度に心理学の原理を応用します。

法心理学の領域

法心理学者は**主に四つの領域**で活動しています。

法制度‥‥**警察官**および**下級判事**を対象とする**訓練**を行うこと。**面接**過程に関するものなど。

犯罪捜査‥‥**犯人像**のプロファイルを作成することなど。

刑務所制度‥‥**受刑者**向けの**処遇プログラム**を作成すること。

政治制度‥‥**犯罪者の処遇**および**被害者のケア**について助言することなど。

面接訓練

目撃者への**事情聴取**が**不適切なやり方で**行われると，目撃者の**記憶がゆがめられ，誤った情報**を想起するということが**起こりかねません**。法心理学者は**取調官を対象とする研修を行い，聴取される人の記憶想起に偶発的に影響を与えてしまう**ことがないようにするための**面接技法**を訓練します。面接訓練はほかにもあり，**強姦(ごうかん)**や**子どもに対する性的虐待**のような**慎重な配慮を要する状況に対処する方法**や，**物事の詳細を正確に思い出す**のに役立つ**認知心理学**を応用した**認知的面接**の技法の訓練をすることもあります。

犯罪者プロファイリング

犯罪者のプロファイルを作成することによって，**特定の犯人**の捜査範囲を**大幅に絞り込む**ことができます。プロファイリングには**犯行自体から見い出せる**，**ごく小さな手掛かり**から犯人の**行動パターンを同定し，その推定結果**に**ほかの知見を加味して捜査対象者の大まかな人物像**を描き出すことが含まれます。

消費者心理

消費者心理の研究には，消費者行動の分析や心理学を応用したマーケティングが含まれます。

広告

私たちの周囲は**広告**であふれています。**広告業者**はさまざまな**心理学の要素**を駆使して**消費者の注意を引こう**とします。例として以下の事がらが挙げられます。

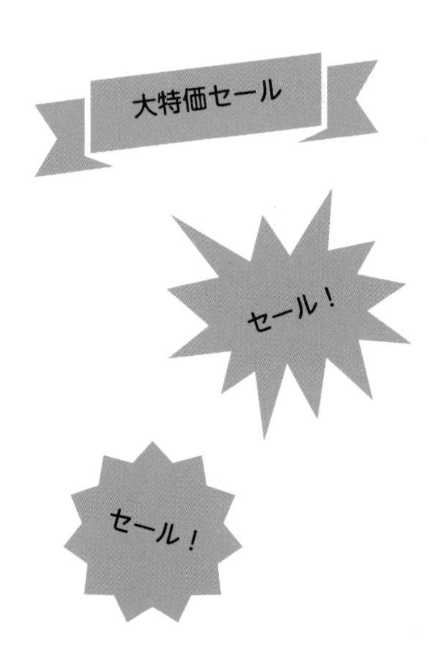

- **社会的アイデンティティ**‥‥**有名人**を使って**商品を宣伝する**。**広告の的**を**特定の社会集団に絞る**。
- **知覚**‥‥**色彩**と**特徴的な図**を利用する。
- **象徴的コミュニケーション**‥‥例：**新鮮さ**を表すために**青**または**緑**を使う。**パスタソース**のパッケージに**イタリア国旗の3色**を使う。
- **聴覚**‥‥**音楽**を使って**気分を高揚させたり，宣伝文句を憶えやすくさせたり**する。
- **記憶**‥‥**以前の広告**や**人気を集めたイベント**を**参考**にする。
- **問題解決**‥‥曖昧な広告は**商品を認識する**ために**心的努力を要する**ので，**より記憶に残りやすくなる**。そのため，**意図的に曖昧な表現にした**広告もある。

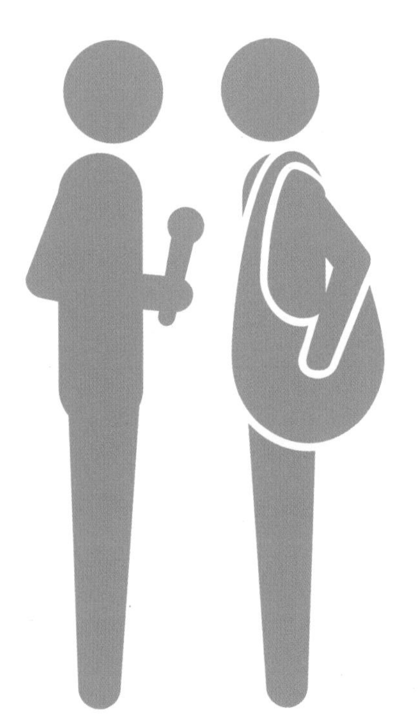

市場調査

また，**市場調査**も**消費者心理**の分野で重要な位置を占めています。市場調査は，**消費者から意見をもらったり，商品購入の見込み度を予測したりする**ために使われます。**心理学の研究法**は，**市場調査員**が用いる方法の重要な部分なのです。

意思決定

消費者が意思決定に至る過程を理解するために認知心理学を応用することも可能です。たとえば，**問いの文脈**や**問い方**に関係する**決定の枠組み**は，**人の行いの決定を形づくる**うえでの重要な要因です。

環境心理学

環境問題に対する心理学の知見の応用に心理学者が携わっています。

環境

現在,「**環境**」という言葉は**多様な意味をもつようになっています**。**自然保護問題**,**動物の生息環境**,人々の**日常の生活環境**,**過密状態**における**プライバシー**の問題,**気温と大気の質**についての問題などを話題にする際にこの言葉が使われることがあります。また,特定の場所が**自然のままな**のか,あるいは**建物が密集しているの**かを問題にしたり,密集地であれば,**どうしたら人の居住に適した空間に改善できるのか**を検討したりする際にも「環境」が話題として語られます。**このような領域のすべてで環境心理学者**は,**ほかの分野の専門家たち**と連携して研究を行っています。

グリーンな生活

大半の人々は,もっと「**グリーンな**」(環境に負担をかけない)**ライフスタイル**を採り入れたいと思っていますが,**さまざまな日常生活の要求**があるなかで,実際に**そういったグリーンな生活に切り替えたら,今より手間がかかる**ことになります。そのため,**環境心理学者**はまず取っ掛かりとして**環境保護運動**を推奨しています。**ゴミを減らす生活習慣**を呼びかけるキャンペーンはその一例です。

行動変容

効果的な行動変容には**二つの重要な心理的要因**があります。一つは,**段階的に達成可能な目標**をいくつか立てるとよいというものです。**環境にやさしいライフスタイルへの変化**は,**無理のない範囲で少しずつ**起こすと**継続しやすくなります**。もう一つの要因は,**自己効力の信念**にほかなりません。自分の行動が何らかの形で**きっと状況を改善させる**と思えることが必要です。すなわち,**取り組むべきことが地球規模の問題**であっても,自分は**効果的な行動**がとれると感じられなくてはならないのです。

心理学研究における倫理

現代の心理学研究において倫理的問題は最重要視されています。

動物実験

20世紀前半の**心理学研究**では**実験対象動物のウェルビーイング**（幸福感）に**配慮することはほとんどありませんでした。不必要に残酷な扱い**をする**実験**もありましたが，**実際の研究**としてではなく**慣例的に行われる実習**としての**動物実験**をはじめとして，その多くが単に**不必要なものだった**のです。時代とともに次第に**考え方が変わり**，今日では**動物実験**を行うことは**非常に少なくなりました。**そして実施する際には**厳しい倫理指針に従う**義務があります。その動物実験が**知識に貢献する**ことに対して**十分な正当性を証明する**ことや，実験の対象となる動物が**恐怖，苦痛，不快**を感じないように配慮することが指針として定められています。

実験参加者への敬意

人間の実験参加者が**ひどい扱いを受ける**こともよくありました。たとえば，**1940年代**に行われた**ミネソタ飢餓実験**では，参加者が**長期にわたって半飢餓状態を経験しました。飢餓救済プロジェクトを援助することが目的でした**が，この実験は**参加者の精神**（および**身体**）に**深刻な害**を与えるものでした。**現代の倫理指針はこのような研究を禁止しています。**

偽ることと苦痛

実験参加者に偽りの説明をすることは**1980年代**以前の**心理学界では当然のように繰り返し行われており**，その結果，多くの参加者が**著しく自信を失う**などの**精神的苦痛**を受けました。**現代の心理学研究**は，**厳格な倫理指針に従わない**限り**許可されることはありません。**倫理指針には，**インフォームド・コンセント**（十分な説明をしたうえで同意を得ること），**偽りの説明を最小限にすること**，また，**苦痛をもたらさないこと**が含まれます。

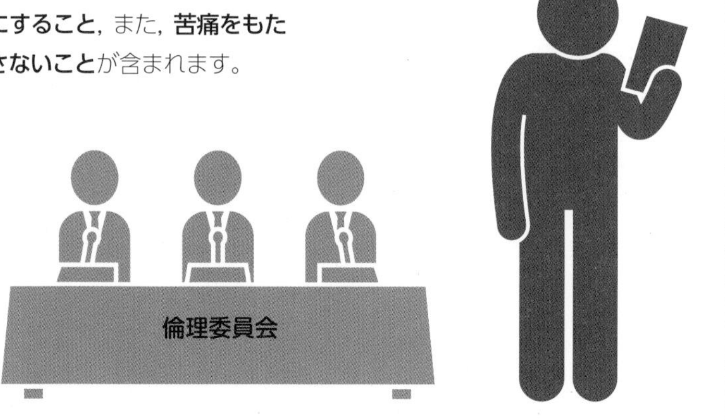

心理学の範囲

心理学は対象範囲の広い学問であり，研究は遺伝的影響を調べる微視的レベルから人間文化の社会政治的な面まで多岐にわたります。

心理学のレベル

心理学者は，**微視的レベル**から**マクロ社会的レベル**まで多くの**異なるレベル**に立って**心理学のさまざまな領域**に取り組んでいます。**心理学の研究範囲**には以下のような事がらが含まれます。

文化的影響‥‥例：**育児方法**に関する研究において
社会政治的影響‥‥例：**社会的表象**に関する研究において
サブカルチャーと社会的地位‥‥例：**消費者の意思決定**に関する研究において
社会的認知‥‥例：**社会的スクリプト**（一連の手順の記憶）に関する研究において
社会集団と家族‥‥例：**内集団**と**外集団**に関する研究において
対人的相互作用‥‥例：**会話**に関する研究において
自己知覚‥‥例：**自己像**と**イメージ投影**に関する研究において
意図と動機‥‥例：**プランニング**と**目的行為**に関する研究において
認知と情動‥‥例：**内気**や**恐れ**に関する研究において
習癖と学習性連合‥‥例：**嗜癖**と**回復**に関する研究において
生理学‥‥例：**覚醒**と**ストレス**に関する研究において
遺伝学と進化理論‥‥例：**幼児の社会性**と**愛着**に関する研究において

通常，一人の心理学者は**これらの分析レベルのうちの一つか二つ**だけで研究を行いますが，それぞれの研究が**心理学の領域全体**に貢献します。なぜなら，**人間であることの豊かさ**を理解するために広い範囲を深く探らなくてはならないからであり，心理学という学問の**幅**を広げ，**深み**を増すことに一人ひとりの心理学者の研究が貢献しているからです。

年表

19世紀中頃

脳機能への関心の高まり（フィネアス・ゲージ，ブローカ，ウェルニッケ）

19世紀末

世界初の心理学実験室の開設と主要な書籍の出版（ジェームズ，ヴント，エビングハウス）

1900〜1930年

知能検査の開発（ビネー）
動物の学習に関する広範囲の研究（ソーンダイク）
行動主義の出現（ワトソン）

1930〜1950年

活性化する記憶（バートレット）
ホーソン実験‥‥組織心理学（メーヨーとレスリスバーガー）
ゲシュタルト心理学の発展（ケーラー，コフカ）
刻印づけと生得的行動（ローレンツ，ティンバーゲン）
発生的モデル化　例：学習の発生的モデル化，パーソナリティの発生的モデル化（ピアジェ，アイゼンク）

1950〜1970年

人間性心理学の発展（マズロー，ロジャーズ）
同調に関する初期研究（アッシュ）
「母性的養育の剥奪」に関する論争（ボウルビィ，ラター）
幼児の社会性（シャファー）
学習および教育の社会的側面（バンデューラ，ブルーナー，ヴィゴツキー）

1970〜1990年

服従と社会的役割（ミルグラム，ジンバルドー）
認知革命（ナイサー，バドリー）
傍観者の介入（ラタネ）
知能と創造性（ガードナー，スターンバーグ，デボノ）
家族の行動に関する動物学的洞察（ダン）
倫理指針の作成（バウムリンド）

1990〜2020年

社会変革（タジフェル，モスコヴィッシ，ヒューストン）
ポジティブ心理学（セリグマン）
質的分析の支持の広がり（ベロフ，ビリッグ）
情動知能（ゴールマン）
自己効力感とマインドセット（バンデューラ，ドウェック）
システム１とシステム２の二重思考（カーネマン）

用語集

IQ（知能指数）：知能テストの得点を表す方法の一つ。

愛着：乳児と親の間に結ばれた絆。

閾下知覚（サブリミナル）：意識的に検出することができない，かすかな刺激の無意識的知覚。

イド：フロイトによれば本能的欲動に由来する心的エネルギーを貯蔵するところ。無意識的であり，組織をもたず，快感原則に従う。

意味記憶：プロセスの一般的な知識。たとえば物事の進め方。

S-R学習：外部刺激（S）と行動反応（R）の間の単純な連合として学習を考え，その間に認知的過程や精神過程があることを否定する行動主義的な見方。

エソロジー：自然環境のなかでの人間を含む動物の行動を研究する学問。動物行動学とも呼ばれる。

エピソード記憶：特定の出来事や経験の記憶。

奥行き手掛かり：対象がどれくらい離れているかを示すイメージや環境のサイン。

オープンスキル：環境からの予測不可能なインプットへの対応を必要とするスキル。例：サッカーやラグビーなどのチームスポーツに必要なスキル。

オペラント条件づけ：動物や人間の行為の結果として起こる学習。

外向性：外向的な社交的行動の一般的な傾向。

概日リズム：24時間周期の生理学的なリズム。

快楽原則：フロイト的には，社会的な慣習に関係なく，イドがその衝動を即座に満足させるように働くこと。

カウンターバランス：実験条件を組織して，各条件の提示順序などが等しくなるようにすること。

学習セット：精通していた学習の仕方を行ってしまう準備性。

観衆効果：そばに他者がいることで，作業や課題の成果が高まる現象。

記憶術：情報記憶を助けるためにリズムやイメージのような手掛かりを通常使用する方略。

帰属：出来事の原因を説明する過程。

嗅覚：においの感覚。

強化：何らかの方法で学習を強めること。通常はオペラント条件づけや古典的条件づけで使用されるが，ほかの学習形態にも適用可能。

共感覚：感覚入力がゆがんで混同する，たとえば音が色などとして経験されるような状態。

協働：他者と一緒に行為すること。

クローズドスキル：環境要因に左右されない状況下で発揮される，正確に筋肉を動かす技能。例：アーチェリーやフィギュアスケートなどの個人スポーツに必要なスキル。

ゲシュタルト心理学：経験と認知の全体性を重視した心理学の学派の一つ。

権威主義的人格：道徳的および社会的問題への厳格で不寛容なアプローチを生み出すパーソナリティ。

元型：無意識に共振するよく知られた象徴的な人物や対象。

向社会的行動：利他的，親切，友好的な行動。基本的に他者のためになるように行為すること。

行動主義：行動の観察および/または行動の操作だけが人間を説明するために必要であるとみなした学派の一つ。

刻印づけ：生まれて間もない動物に見られる，親への迅速かつ強力な愛着をもたらす，非常に短時間の学習形態。

心の理論（TOM）：ほかの人にも精神があり，自分とは違う考えをもっているかもしれないという覚知。通常3～4歳で発達する。

根本的帰属の誤り：自分の行為は状況的なものであるが，他者の行為は資質的な原因に起因するものであると考えること。

参与観察：社会調査の一種。調査者がほかの人に注意を喚起させせる対象となる，研究目的となっている社会的プロセスに参加する場合に用いる。

自益的バイアス：私たちは他者のためよりも，自分の行動のために，より多くのポジティブな属性を選択するという考え。

自我：現実と接触し，イドと超自我と現実の要求とのバランスをとっている精神の部分。

自己効力感の信念：自分は何かを効果的に行うことができるという信念。

自己実現：自分のもっている能力と才能を発揮し，最大限に活用し，実現すること。

自己成就予言：人やグループに対する期待が表現されただけで実現することができるとみなすこと。

自己中心性：世界全体が自我を中心にしており，その人に直接影響を与えるものだけが存在するという仮定。

自然・養育論争：すでに与えられた（所与の）心理的能力が遺伝的なものなのか，それとも経験によって学習されたものなのかについて，1950年代から1960年代に流行した無意味な理論的論争。

質的分析：数字ではなく，言葉や例示的な情報を用いて，記述的意味にかかわるデータ分析の方法。

質問用紙の誤謬：質問用紙を使用して人々に質問をすることは，人々が実際に何をし，考え，または感じているかを真に示すという信念。

自動化：よく学習した行為や技能をスムーズかつ絶えず実行できるようになる学習プロセス。

社会的アイデンティティ理論（SIT）：社会的グループのメンバーが他者および出来事への反応を決定する，自己概念の重要な部分を形づくる方法を強調する理論。

社会的怠惰：課題を一人で行った場合よりも，グループで行った方が手を抜いてしまう人が多いという傾向。

社会的認知：社会情報と社会経験の考え方と解釈の仕方。

社会表象理論（SRT）：共有された信念がどのように発達し，伝達され，現実を説明し，社会的行為を正当化するために使用されるかを示す理論。

集団思考：ある凝集性のある集団の人々が，代替的な視点に触れる機会がないことで，現実から切り離され，満足してしまう傾向のこと。

準備された学習：種が進化的に準備された学習。たとえば早発性社会的動物の刷り込みなど。

消去：強化の欠如による反応の消滅。

条件づけ：行動主義者が学習について語る別称（正式には，刺激反応学習）。

情動知能：社会的な交互作用の情動的な側面を理解するために他者に敏感になる能力。

自律神経系：内分泌系とリンクし，興奮や情動にかかわる神経のネットワーク。

侵害受容：痛みの感覚。

神経経路：神経細胞のグループが習慣的に連携し，脳のさまざまな領域を結ぶ経路を形成する部分。

神経症傾向：「ビッグ・ファイブ理論」に示されるパーソナリティの一つ。落ち込みやすいなど感情面や情緒面が不安定で，神経質な行動や不安な行動に向かう一般的な傾向。

神経伝達物質：神経細胞から放出され，隣接する細胞に受容される化学物質で，受容細胞が興奮する可能性が高いか低いかのどちらかになる。

水平思考：従来の仮定や枠組みから意図的に踏み出して解決策を模索する問題解決のためのアプローチ。

スキーマ：記憶，観念，概念，行為のためのプログラムを包含する精神的な枠組みや構造。

スクリプト：すでに与えられた（所与の）状況での適切な行動として社会的に確立され，受け入れられている，よく知られた社会的行為や交互作用のパターン。

図と地の知覚：視覚経験を背景に対する形（図形）へと構造化すること。

制御の所在：起こったことの制御が個人内に由来すると知覚するか，あるいは個人の外部にあるものに由来すると知覚する傾向。

生得主義者：知識や能力は生得的なものであり，遺伝するという仮定。

早発性動物：生まれたり孵化したりしてすぐに動き回ることができる動物。

体性：身体と関係があるもの。

態度：ある特定の対象に対する行為の比較的安定した，学習された傾向性。

タナトス：リビドーとして知られるポジティブな性的エネルギーの対極にあるとフロイトが提唱した，ネガティブで破壊的なエネルギー。

単一試行学習：1回だけの経験で学習が成り立つもの。たとえば嘔吐を生じさせた食べ物を避けることなど。

談話：人々が象徴的，文化的，行動的にどのように考えを表現したり，経験を交換したりするかということ。

知覚：感覚情報を解釈する認知的過程。

知覚的構え：ある種の刺激をほかのものよりもさらに知覚する準備ができている状態。

知能の鼎立理論：知能には文化的，経験的，構成的なコンポーネントがあり，それらの用語で理解されるべきであると主張する知能論。

中枢神経系：脳と脊髄。

中年期危機：50代でこれまでの生き方を再評価し，劇的な変化をもたらす可能性がある人生のポイント。

超自我：厳格な親としての義務や良心，責務を課すように機能する無意識の精神の一部。

展望記憶：まだ先の記憶。たとえば約束を憶えているというようなこと。

同調性：不賛成を明示するのを避けるため，ほかの人と共にする傾向。

内省：自分自身の精神状態，信念，考えを分析し，記録すること。

ニューロン：神経細胞のこと。

人間性心理学：経験のポジティブでダイナミックな側面を強調した心理学の学派の一つ。

認識論：専門知識や研究の異なる分野において，何が妥当な知識や証拠であるとみなすかということ。

認知：知覚，記憶，思考，推論，言語，ある種の学習を含む精神的過程。

認知的不協和：お互いに直接矛盾する信念をもっていることから生じる認知的不均衡による緊張。

脳波（EEG）：電極を頭皮に取りつけることによって得られた脳の電気的な活動記録。

パーソナルコンストラクト：経験に基づいて発達した世界の意味を理解するための個人的な方法。

発達の最近接領域（ZPD）：幼児の現在の能力水準と，他者に助けられ教えられたときに達成できる能力水準との差異のこと。

パラ言語：声のトーン，間，「うーん」「えー」という音など，人の言い方によって示される非言語的情報。

ハロー効果：是認されている一つの良質の属性のために，その人にほかのポジティブな属性も帰属させてしまう傾向のこと。

犯罪者プロファイリング：犯罪から得た手がかりから，犯罪者の蓋然性の高いパーソナリティや習慣の描写を行うこと。

ヒューリスティクス：アルゴリズムとの対比として用いられ，問題解決のために必ずしも正しい答えに至る保証のない簡便にまた直観的に回答を得る方略のこと。

評価グリッド法：人間が何を知覚して，その結果どのような評価を下しているのかというパーソナルコンストラクトを引き出すシステム。

表象のモード：行為的な表象（筋肉記憶），映像的表象（視覚的イメージを使用），象徴的表象を含む経験の記憶方法。

ブレーンストーミング：アイデアを批判しないで共有をするグループの意思決定の方法。

変換：情報をある形から別の形に変換するプロセス。
例：音波を電気インパルスに変換する。

傍観者的介入：困っている人との偶然の出会いのなかで，助けを提供したり，拒否したりすること。

ポジティブ心理学：利他主義や幸福など，人間の経験のポジティブな側面を強調する心理学の領域。

マインドセット：その人の自己効力感の信念に応じて，学習を促進したり阻害したりする可能性のある精神的仮定のセット。

マインドフルネス：直接的経験とポジティブ思考を重視した心理学的幸福へのアプローチ。

末梢神経系：中枢神経系（脳，脊髄）と身体のほかの部分をつなぐ神経系の部分。

味覚：味の感覚。

モデリング：他者が真似できるお手本を提供すること。

役割の数：個人が果たす社会的役割の数。これは定年退職とともに劇的に低下する可能性がある。

利他主義：自己の利益よりも他人の利益を優先する考え方。

リビドー：フロイトが最初に人間のすべての行動のための活性化要因として見た性的で生命の肯定的なエネルギー。

量的分析：数値や統計的推論に焦点化したデータ分析の方法。

倫理指針：許容される倫理的実行を定めた規則。

劣等コンプレックス：他者より劣っていると感じることにより引き起こされる，深層の一連の無意識の反応。

レム睡眠：急速眼球運動を伴う睡眠。脳が活発に働いていて，記憶の整理や定着が行われている。通常は夢を見ている状態。

ワーキングメモリー：特定の時間に特定の課題を実行するために使用される即時記憶。

参考文献

サム・アトキンソン（Sam Atkinson），サラ・トムリー（Sarah Tomley）（編）『心理学の本（*The Psychology Book*）』

タラ・ブラッシュ（Tara Brach）『ラジカル・コンパッション（*Radical Compassion*）』

ロバート・チャルディーニ（Robert Cialdini）『影響力の正体 説得のカラクリを心理学があばく（*Influence: The Psychology of Persuasion*）』

ミハイ・チクセントミハイ（Mihaly Csikszentmihalyi）『フロー：幸福の心理学（*Flow: The Psychology of Happiness*）』

ウィンディ・ドライデン（Windy Dryden）『理性感情行動療法（*Emotive Behaviour Therapy*）』

ダニエル・ゴールマン（Daniel Goleman）『EQ こころの知能指数（*Emotional Intelligence: Why It Can Matter More Than IQ*）』

サム・キーン（Sam Kean）『脳外科医たちの決闘物語（*The Tale of the Duelling Neurosurgeons*）』

ニッキー・ヘイズ（Nicky Hayes）『応用心理学を理解する - ティーチ・ユアセルフ -（*Understand Applied Psychology (Teach Yourself)*）』

ニッキー・ヘイズ（Nicky Hayes）『心理学を理解する：あなたの心の働き方と，なぜあなたがすることをするのか（*Understand Psychology: How Your Mind Works and Why You Do the Things You Do*）』

ニッキー・ヘイズ（Nicky Hayes）『あなたの脳とあなた。神経心理学のためのシンプルなガイド（*Your Brain and You: A Simple Guide to Neuropsychology*）』

ニッキー・ヘイズ（Nicky Hayes）／ピーター・ストラットン（Peter Stratton）『人間理解のための心理学辞典（*A Student's Dictionary of Psychology and Neuroscience*）』

ジョー・ヘミングス（Jo Hemmings）『心理学のしくみ（*How Psychology Works*）』

ダニエル・カーネマン（Daniel Kahneman）『ファスト＆スロー（*Thinking, Fast and Slow*）』

ピーター・レヴィン（Peter Levine）／ガボール・マテ（Gabor Maté）『言葉にならない声の中で：どのようにして身体はトラウマを解放し，善良さを回復するか（*In an Unspoken Voice: How the Body Releases Trauma and Restores Goodness*）』

サンディ・マン（Sandi Mann）『心理学完全入門 - ティーチ・ユアセルフ -（*Psychology: A Complete Introduction (Teach Yourself)*）』

ガボール・マテ（Gabor Maté）『飢えた幽霊の領域で（*In the Realm of Hungry Ghosts*）』

ジョン・ペリー（John Perry）『スポーツ心理学 - ティーチ・ユアセルフ -（*Sport Psychology (Teach Yourself)*）』

ダニエル・シーゲル（Daniel Siegel）『脳をみる心，心をみる脳（*Mindsight*）』

サラ・トムリー（Sarah Tomley）『毎日使える，必ず役立つ心理学（*What Would Freud Do?*）』

ベッセル・ヴァン・デア・コーク（Bessell Van der Kolk）『身体はトラウマを記録する（*The Body Keeps the Score*）』

ルビー・ワックス（Ruby Wax）『楽観主義があなたの脳の構造を変える（*Sane New World*）』

▌著者

Nicky Hayes／ニッキー・ヘイズ

スコットランド・ゲイロック在住の公認心理学者。心理学の教科書の著者であり，1984年に出版された『*A First Course in Psychology*』は重版され，多くのテキストや論文の礎となった。1985年心理学教育協会の名誉会員受賞，のちに終身名誉会員となる。1997年英国心理学会・心理学教育への顕著な貢献に対するBPS賞を受賞。

Sarah Tomley／サラ・トムリー

イギリス在住のカウンセラー。イギリス・ウォーリック大学で哲学と文学を専攻後，出版業界でイギリスを代表する出版社の編集者として活躍する。また，抑うつ症状やトラウマ，対人関係をはじめとする精神的問題についての個人カウンセリングを主に行う。共著に『毎日使える，必ず役立つ心理学』（河出書房新社），『*The Sociology Book : Big Ideas Simply Explained*』などがある。

▌監訳者

横田正夫／よこた・まさお

日本大学文理学部心理学科特任教授。医学博士，博士（心理学）。日本大学大学院文学研究科心理学専攻博士後期課程満期退学。専門は臨床心理学。主な著書に『描画にみる統合失調症のこころ：アートとエビデンス』（新曜社），『アニメーションの前向き行動力～主人公たちの心理分析』（金子書房）などがある。

▌訳者

田中真由美／たなか・まゆみ

神田外語学院英会話本科卒。第二外国語中国語専攻。テルモ株式会社国際本部・技術開発本部（当時）にてビジネス・最先端医療の英日・日英翻訳実績多数。また，台湾に11年間在住した際，経済部管轄の国営台湾中油（台湾の石油元売最大手企業）での業務に従事し，日本と台湾を含む国際会議の際，英中日通訳・翻訳にも携わる。

図解　教養事典
心理学
INSTANT PSYCHOLOGY
インスタント・サイコロジー

2021年7月15日発行　2022年2月15日　第2刷

著者　ニッキー・ヘイズ，サラ・トムリー
監訳者　横田正夫
訳者　田中真由美
編集，翻訳協力　編集プロダクション雨輝
編集　道地恵介，鈴木夕未
表紙デザイン　岩本陽一，田久保純子
発行者　高森康雄
発行所　株式会社 ニュートンプレス
〒112-0012 東京都文京区大塚 3-11-6
https://www.newtonpress.co.jp

ISBN 978-4-315-52401-7